十年屋

魔法街的猫学徒

十年屋与魔法街的朋友们 5

［日］广岛玲子 ○ 著
［日］佐竹美保 ○ 绘

尚思婕 ○ 译

北京时代华文书局出版
100 度亲子馆

目 录

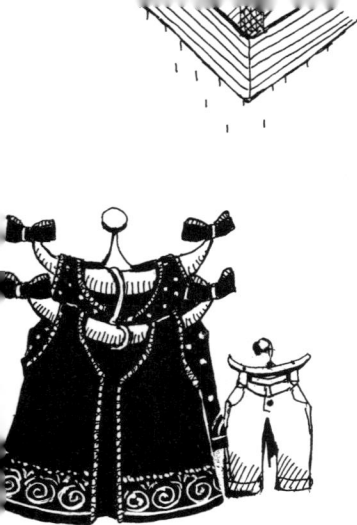

引子

那些心爱之物，即使坏掉了也不舍得丢弃。

因为它们承载了太多珍贵的回忆，所以总想找一处安全的地方妥善保管。

意义深刻的物品、想要守护的物品、决意远离的物品……

如果您有这样的物品，欢迎来到十年屋。

本店将妥善保管它们，连同您珍贵的回忆……

1 小小猫学徒

昏暗的小巷深处，一只猫咪幼崽躺在冰冷肮脏的地面上奄奄一息。

它很瘦弱，仅有一只手掌大，眼睛上沾满了眼屎，全身的毛又乱又脏。它太虚弱了，连发出声音的力气都没有。

根本没有人在意这只小猫。

即使看到它，大多数人可能也只是在心里想想"它好可怜，但是已经没救了吧""会有好心人帮它的，我还是不要多事了吧"等，而并不会做什么，之后可能就视若无睹地离开了。

就这样，小猫错失了珍贵的最佳救助时间。现在，它行将结束的生命就像沙漏里的沙子一样不断流失着。

它几乎什么都看不到了，只好无力地闭上眼睛。

之后，世界一片黑暗。那黑暗神奇地隔绝了强烈的饥饿与寒冷，却无法隔绝它内心的孤独。

不久前，温暖而强大的母亲还在它的身边保护它。然而，不知道什么时候，母亲离开了它，留下它独自生活。

孤独真的很可怕。

想被人发现、被人注意到的强烈感受，让它拼命挣扎着，再次睁开了眼睛。

有光芒在靠近它。

光芒是从一个女子的头上发出来的。

那是一个温柔的女子，有着一头卷曲的金茶色头发，穿着轻便的衣服，还背着一个巨大的背包。她用青草色的眼睛注视着小猫。

有人找到我了！小猫的心情一下子明朗起来。

女子开心地点了点头。

"哎呀，没想到会在这种地方找到你，看来我们都很幸运。已经没事了，小猫咪。我会把你送到你该去的地方。"

说着，女子抱起了小猫。

小猫被温暖的手抱住，放松地闭上了眼睛。它知道自己不会再孤独了。

现在，我们先将目光从普通人的镇子上移开，把视线投向神奇的魔法街——黄昏横町二丁目。这里是会魔法的人居住的地方，也就是魔法师们的聚集地。

魔法师们在这里经营着形形色色的商店，等待着需要魔法帮助的客人到访。

其中有一位名叫十年屋的魔法师。

虽然他总是给人一种饱经沧桑的感觉，但外表看起来依然是身形挺拔的青年。他有一双奇异的琥珀色眼睛和一头蓬松的栗色鬈发，喜欢戴银框眼镜，穿白色衬衫、深棕色马甲和长裤，脖子上经常围着漂亮的围巾，看起来十分干练。

十年屋的身边总是跟着一只毛茸茸的橘黄色大猫，它叫客来喜。

客来喜可不是一只普通的猫。它穿着带有刺绣的黑色马甲，总是忙着准备饭菜和甜品、打扫接待室，还把店铺打理得井井有条，是一只勤恳的管家猫。

十年屋和客来喜相处了很久，合作得很愉快。现在他们的关系与其说是主人和管家，不如说是不可替代的好友。

因此，客来喜会大胆地向十年屋提出要求。

这天便是这样。当十年屋站在洗漱间的镜子前围围巾的时候，客来喜叉着腰对他说：

"主人，今天我们来收拾店铺吧。店里堆放的东西再增多的话，来访的客人都会以为这里是仓库，然后就直接离开了。"

"下次不行吗？"

"主人总是说下次，然后继续拖延。不行，今天必须收拾！"

"哎呀，我的管家猫真是认真又严格。我还以为猫都是自由散漫的性格呢。如果你能让我拖到明天的话，今天去买东西的时候，你想要多少鱼罐头，我都给你买，怎么样？"

"我可不是轻易就能被收买的猫！"

"嗯……我知道了，那就收拾吧。"

十年屋无可奈何地耸了耸肩，朝店里走去。

客来喜说店里需要收拾，这倒是大实话。

店里所有东西都放得乱七八糟的，堆成了一座座赛天花板高的小山，从店门口望去根本看不到柜台，而且物品山之间只剩窄窄的空隙，仅容一人通过。

十年屋立刻沮丧起来：把这些东西都收拾完，要花多少时间呢？

客来喜倒是利落地穿上围裙，戴好三角巾，看上去干劲儿十足。

十年屋叹了口气。他想，还是先从给书归类开始吧。

但是，他刚伸出手，清脆的门铃声便丁零零地响了起来。接着，一个爽朗的声音传来："打扰了！"

"啊！"客来喜绝望地叫了一声。

"都怪主人拖拖拉拉的，客人都来了。"

十年屋却很惊讶——他听出了声音的主人。

"这个声音……难道是米内？"

"猜对了。"

两座物品山之间露出一张女子的脸。

客来喜却是第一次见到这个女子。

她大约四十岁，有一头金茶色的鬓发和一张讨喜的脸，生动的神情和晒黑的皮肤让她看起来像一位活力十足的农家姐姐。

最让人印象深刻的是她的眼睛，那青草般的绿色配上炯炯有神的目光，让人觉得任何细节都难以从中逃脱。

她的打扮也很奇特。她穿着像探险家一样的轻便衣服；背上的背包像是用各种邮票拼接而成的；头上的帽子则是个提灯，散发着柔和的光芒。

她是谁？

客来喜很吃惊。十年屋却露出了微笑。

"好久不见，米内。"

"是啊，好久不见。你过得还好吗，十年屋？你的模样不会变化，所以每次见到你，我总会不由得想起很多事情。"

"嗯。你不在的时候，我身边也发生了很多变化。你看，我有搭档了。"

十年屋向她介绍客来喜。

"这是我的管家猫客来喜。它很擅长烹饪，你有时间一定要来尝尝它的手艺。客来喜，这位是米内，是搜索魔法师。"

"搜索魔法师？"

"对，她的魔法可以帮人找东西。哈哈，看你一脸迷茫的样子，是不是想说你从来没听说过？那就对了。米内在黄昏横町二丁目没有自己的店铺，她是一位到处游走的魔法师。"

"没有店铺？"

看着惊讶的客来喜，米内笑着点了点头。

"是啊，我的工作就是跑来跑去找东西，有店铺反而是一种束缚，不是吗？"

"原来如此。失礼了，我叫客来喜，是一名管家猫。请多关照。"

客来喜低头行礼，米内也回了一个礼。

"也请你多多关照，我是搜索魔法师米内。哈哈，很荣幸见到你，客来喜。你很有名，大家都对你交口称赞，说你是一只优秀有为的管家猫，所以我一直都想见见你。"

"是吗？我很有名吗？"客来喜开心得胡子都翘了起来。

米内看着兴奋的客来喜，笑着点了点头，然后一脸严肃地看向十年屋。

"这次来，我有一个不情之请，先向你们表示歉意……我找到了一个特别的孩子，你们能暂时帮我照顾一下吗？"

"特别的孩子？"

"是的，就是它。"

米内小心翼翼地从鼓鼓囊囊的背包里取出来一个东西。

看到那个东西后，十年屋和客来喜都很惊讶。

那东西乍看像一团脏兮兮的蓬松的毛线团，再仔细看，居然是一只活物。

"这是……小猫吧？"十年屋惊讶地说。

客来喜也跟着惊叫道："它还活着吗？"

"不用担心，它只是睡着了。不过它不是一只普通的小猫，它身上隐藏着魔力。"

"隐藏着魔力的小猫？"

"是的，好好教导的话，它会成为一名了不起的魔法使。我会唤醒它体内的魔力，之后的事情就交给你们了——我希望它能在这里学习并积累经验。说真的，我更希望我能亲自教它，但是接下来的一段时间，我要去魔法森林……"

"魔法森林？我听过关于那里的传闻，你一个人真的没问题吗？"

"不用担心我。——那里情况比较复杂，所以我才想把小猫留在这里。最重要的是，这里有一只优秀的管家猫。它跟着客来喜一定能学到很多东西，成为一名优秀的魔法使。"

说着，米内冲客来喜眨了眨眼。

客来喜的心怦怦直跳。它呆呆地站在那里，心想：

由我来照顾这只小猫，让小猫成为一名优秀的魔法使，也就是说，这只小猫会是我的徒弟？

十年屋点了点头，说："我倒是不介意，客来喜你呢？你愿意吗？"

"我……我愿意。只是，我能行吗？"

"有什么不行的？"

"我能教好这个孩子吗？"客来喜不太自信。

十年屋温柔地抚摸着客来喜，说：

"不用担心，你是最好的管家猫，一定能把这只小猫教得很出色，我保证。"

"好……好的，那么，我接受。"

米内露出欣慰的微笑。

"那我马上来唤醒它身体里的魔力。"

米内取出一个放大镜，然后透过放大镜开始仔细观察小猫。

接着，她柔声唱起歌来：

小檗、菖蒲和猫眼草，

千只眼，万只眼[1]，集合吧！

去寻找、去探索那些失去的东西！

如果暗夜里亮起光芒，

断绝的道路便会重新连接。

小檗、菖蒲和猫眼草，

让紧闭的双眼睁开吧！

伴着歌声，米内开始施法。

虽然肉眼看不到，但是十年屋和客来喜能感觉到有魔力在涌动。

米内头上的提灯帽子开始散发金色的光芒，一闪一闪的光宛如细雨一般落在小猫身上。

等她唱完歌，光芒也跟着消失了。又过了一会儿，小猫睁开了眼睛。

它那美丽的蜂蜜色眼睛让十年屋和客来喜都屏住

1　因为小檗（日语写为"目木"）、菖蒲（日语写为"绫目"）、猫眼草（日语写为"猫の目草"）的日语都有"目"这个字，所以这里才会说"千只眼，万只眼"。——译者注了呼吸。

米内温柔地将小猫放在地板上。小猫像人类一样用两条后腿站立起来，一脸惊讶地打量着身边的人和物。

米内柔声问：

"你叫什么？你已经找到藏在内心深处的名字了吧？"

小猫轻轻点了点头，甜甜地说：

"我叫……蜂蜜，我必须找到某个人。"

"是的，你必须找到主人。但是在这之前，你要在这里学习很多东西。这两位是十年屋和客来喜。客来喜会做你的师父，你先打个招呼吧。"

蜂蜜径直朝十年屋和客来喜走去，低头行礼，说：

"以后请多多关照。"

"嗯，有小学徒来跟我们做伴，我们也很开心。对吧，客来喜？"

"是的！请多关照！"

十年屋很平静，客来喜则有些紧张地打了招呼。

米内松了一口气："带它来这里果然是正确的选择，它就托付给你们了。"

"你要走了吗？不喝杯茶吗？"

"真是让人心动的邀请，不过还是下次吧。我要在日落之前赶到森林里的小精灵的住所，这样才能安心过夜。——蜂蜜，你要努力啊！十年屋、客来喜，再见啦！"

米内爽朗地说完，便离开了。

蜂蜜露出落寞的神色，抬头看向客来喜：

"师父，我该做什么呢？"

"先去洗个澡吧。"

客来喜的声音很温柔，语气却不容置疑：

"魔法使如果不保持身体洁净，就会给主人添麻烦。毛发打结的地方必须梳理好。——主人，我去帮蜂蜜洗澡，您能去准备饭菜吗？我已经做好了炖菜，只需要再加热一下。"

"我知道了，还有什么需要我做的吗？"

"您还需要把面包和芝士切好。——蜂蜜，你应该饿了吧？"

"咕噜噜……"蜂蜜还没开口，肚子先响亮地叫了起来。

十年屋笑着点了点头：

"好的，我去准备面包和芝士，再开一瓶沙丁鱼罐头。对了，还要准备一套衣服给蜂蜜。店里有玩偶的衣服，蜂蜜应该刚好能穿，我去找找。"

"那这些事就交给主人了。"

十年屋和客来喜迅速分头行动起来。

就这样，小小的猫学徒来到了魔法街。

2

被舍弃的婚纱

西芝凝视着打开的衣帽箱，叹了口气。

箱子里装着一件婚纱。它无比精美，表面密密麻麻地点缀着雪花形状的亮片和碎花刺绣。光是制作它，西芝的妈妈和外婆就花了一年多的时间。

三年前，西芝穿着它办了婚礼。西芝一直都很珍视这件婚纱，因为它不仅是美好时刻的见证，还承载着妈妈和外婆的祝福。

然而，现在西芝却因为它而感到苦恼。

"我该怎么处理它呢？"

因为丈夫工作调动，西芝夫妇要搬到国外去了。两人讨论了很久，决定只带走最需要的东西，剩下的都处理掉。

家具和餐具几乎都卖给了二手店。不穿的衣服、不戴的帽子和不用的包差不多也都扔了。但相册、磁带、喜欢的书，还有一些小物件，西芝都决定带走。

快收拾完行李的时候，她翻出了这件婚纱。

二十八年以来，西芝第一次遇到这么让她头疼的问题。

"我不想扔掉它……但也不能带走它。"

这件婚纱虽然很美，但是太占地方了，带去国外的话肯定会很麻烦。而且，它和普通衣服不同，西芝肯定不会再穿第二次了。与其把它当成纪念品带走，还不如送给即将举行婚礼的人。

可是，她真的舍不得这件婚纱。她打心底里觉得这是专属于自己的东西。

"我以后要是有了女儿，就把这件婚纱送给她，所以我想留着它……可是，把它放到亲戚朋友家也太占地方了，会给别人添麻烦的。而且，要是存放的地方不合适，比如放到潮湿的地方，它还会发霉。啊，我到底应该怎么办呢？"

就在西芝愁得抓头发的时候，一张小小的卡片像落叶一样飘下来，落入了放婚纱的箱子里。

这是从哪儿飘来的？西芝瞪大了眼睛。

那是一张她从没见过的卡片，卡片的背景色是深棕色，四角点缀着美丽的金色和绿色相间的藤蔓花纹。卡片是对折的，正面用银色的墨水写着"十年屋"三个字，背面同样用银色墨水写着几句话：

那些心爱之物，即使坏掉了也不舍得丢弃。

因为它们承载了太多珍贵的回忆，所以总想找一处安全的地方妥善保管。

意义深刻的物品、想要守护的物品、决意远离的物品……

如果您有这样的物品，欢迎来到十年屋。

本店将妥善保管它们，连同您珍贵的回忆……

这些话说进了西芝的心坎里。

不管这张卡片是从哪里来的，这上面介绍的"十年屋"，毫无疑问正是西芝现在最需要的。

西芝想要了解更多十年屋的信息，急忙打开了卡片。

刹那间，金色的光芒从卡片里涌出，包裹住了西芝。

虽然很震惊，西芝却并不觉得恐惧，因为这光芒很温柔，还有一股酸酸甜甜的杏子酱的香气。

杏子酱奶油茶杯蛋糕是西芝的外婆最擅长做的甜品。在西芝的婚礼上，外婆做了很多这种蛋糕招待宾客。尽管外婆已经去世了，但西芝一辈子都忘不了外婆做的蛋糕的味道。

西芝回忆起这些事后，金色的光芒一下子暗淡了。

西芝惊讶得屏住了呼吸。

这时，她发现自己站在了一条陌生的街道上。这难道是梦吗？但她马上反应过来，这不是梦。

整条街都隐藏在白色的浓雾中，青灰色的建筑物若隐若现。天空的颜色晦暗不明，分不清是白天还是黑夜。透过雾气，她发现这些建筑物的风格都很不寻常。

西芝的脑海中浮现出一个词语：魔法街。

那是隐居的魔法师们居住的街道。她以前一直不相信，现在完全信了：魔法街是真实存在的！

若非如此，她无法解释自己是怎么来到这里的。最重要的是，她确实能在呼吸时感受到街道上弥漫着的奇异魔力。

这就是魔法吧！西芝一边想，一边向前走。走着走着，她眼前出现了一幢装有白色大门的建筑物，门上镶嵌着绘有勿忘我图案的彩色玻璃，光芒透过玻璃射到窗外。

请进，请进！那扇门仿佛在欢迎她。

西芝毫不犹豫地推开了门。

门内似乎是一间仓库，堆着各种各样的东西。这里好像什么都有，既有坏掉的、看上去像废品的东西，又有价值连城的古董家具和让人挪不开眼睛的宝石饰品。

一名男子坐在里面的柜台后。发现有客人来访，他穿过几乎要被物品掩埋住的狭窄通道，出来迎接西芝。

男子有一头蓬松的栗色头发，戴着银框眼镜，穿着白色衬衫、深棕色的马甲和裤子，围着一条宛如璀璨星河的银色围巾。

西芝与男子对视了几秒。望着他那双神秘的琥珀色眼睛，西芝没来由地相信，这名男子就是魔法师。

男子自称"十年屋"。

"你是魔法师吗？"

"是的，我会使用十年魔法，这是一种时间魔法。"

十年屋一边和西芝聊天，一边引领她朝商店深处的接待室走去。

接待室布置得很温馨。暖炉里的火焰红通通的，让人心里也暖烘烘的。暖炉前是两张舒适的沙发。一只毛茸茸的橘黄色大猫正在小小的圆桌上摆放茶具。

大猫转过身，露出灿烂的笑容。

"主人，我正在准备茶水。我再去把点心拿过来。"

"辛苦了，客来喜。——客人，您请坐。像今天这样寒冷的天气，最适合坐在暖炉边喝茶。您一定要尝尝客来喜做的茶和点心。"

西芝非常吃惊，心脏怦怦直跳。在神秘的魔法师的店铺，喝一只会说话的猫泡的茶，这样奇妙的经历，大概一生只会有这么一次吧。

西芝在沙发上坐下来，喝了一口杯子里的茶——是芳香的奶茶。

客来喜很快将点心端了上来。

烤成焦糖色的茶杯蛋糕柔软又蓬松，里面加了很多奶油和杏子酱。

西芝愣住了。

客来喜见状，担忧地说："客人，如果您不喜欢茶杯蛋糕的话，我就再拿别的过来。"

"不……不是的。我是觉得你做的蛋糕和我外婆做的非常像，所以很惊讶。我最喜欢茶杯蛋糕了，谢谢。"

西芝马上尝了一口，发现蛋糕的味道也和外婆做的非常相似。尽管用料简单，但是黄油、奶油和杏子酱的搭配比例刚刚好。

西芝陷入回忆。她仿佛回到了童年时代，内心平静下来，不安和防备也消解了许多。

于是，十年屋开始和西芝交谈。他平静地向西芝解释，并非他有意将西芝带到这里，而是因为西芝需要十年屋的帮助，所以通往魔法街的道路才会为她打开。

"我们可以替客人保管珍贵的物品，最长保管十年。客人既可以等保管期满取回物品，也可以在保管期内随时取回。因为我施加了魔法，所以物品在保管期内绝对不会受到任何损伤。只不过……"

说到这里，十年屋的语气变得严肃起来。

"时间魔法无法凭空生效，需要客人支付一定的时间。"

"时……时间？"

"是的，客人必须支付一年的时间。对此，有的客人觉得昂贵，有的客人觉得合算。——您有即使付出一年时间也愿意寄存的物品吗？"

西芝的脑海中立刻浮现出那件婚纱。她没办法带着它搬家，但是这么珍贵而有意义的东西，她无论如何都不能扔掉、卖掉或者送人。她虽然不会再穿第二次，但它仍然是她最心爱的衣服。

它完全值得。西芝下定了决心。

过几年，等丈夫的工作告一段落，我们还会搬回来。丈夫说到时候会买套房子定居，之后我就能把婚纱取回来。

于是，西芝点点头，说："有，我有一件非常珍贵的衣服……"

话音未落，装着婚纱的箱子就出现在了西芝和十年屋的眼前。

西芝惊呆了，她打开箱子确认，里面果然是那件婚纱。看到这件婚纱，十年屋十分感慨地说：

"这真是一件令人惊叹的婚纱！上面的刺绣无与伦比。这是您的衣服吗？"

"对。上面的刺绣是我的母亲和外婆一针一线绣上去的，花了很长时间。她们希望我能获得幸福。现在，我的外婆已经去世了……虽然我不会再穿这件婚纱，但等有了女儿，我想把婚纱送给她……只是不久后，我们要搬到国外去，带着它会很麻烦，所以我想把它寄存在这里。"

"您想好了吗？"

"嗯，我愿意支付一年时间。"

"我明白了。"

十年屋拿出一本黑色皮面的笔记本和一支钢笔，将笔记本翻到空白的一页，递给西芝。

"请您在这里签名。"

西芝拿起沉甸甸的钢笔，在笔记本上签下了自己的名字。落笔的时候，她感到身体里似乎有什么东西流走了。

莫非是自己的时间化为钢笔里的墨水，被笔记本吸收了……

这种感觉让西芝微微发抖，但她没有动摇，坚定地写完了自己的名字。

十年屋接过笔记本和钢笔，露出温和的笑容。

"契约完成。我会保管好这件婚纱。"

"它真的会完好无损吗？不会被虫子蛀坏或变脏吧？"

"当然不会。等我给它施加完魔法，您就放心了。"

说着，十年屋从马甲口袋里拿出一根吸管。只见他对着吸管的一端轻轻吹了口气，吸管另一端就立刻冒出一个彩虹色的泡泡。

对着轻飘飘的泡泡，十年屋唱起歌来：

勿忘我和时钟草，让时间停止流逝吧。

木香花与长春花，将十年编织为笼。

收藏起人们的思念，将过去运送至未来。

收拢，汇集，守护

那些泪水变换的微笑，苦痛成就的

平和……

温柔而有力的歌声响彻整间接待室。

西芝感到有一种看不见的力量在身边涌动。她知道，那是魔法的力量。

一眨眼的工夫，婚纱就被收进了泡泡里。它变得小小的，像玩偶的衣服。西芝目不转睛地望着它，喃喃道：

"这就是……十年魔法……"

"是的。婚纱只要在泡泡里，就绝对不会受损。现在您放心了吧？"

"嗯。"

"那么，您也该回去了。我带您出去。"

在十年屋的陪伴下，西芝穿过乱糟糟的店铺，来到那扇白色的大门前。

"打开门就能回到原来的地方。"十年屋说完这句话，用意味深长的目光看着西芝。

"怎么了？"

"我在想……十年说长不长，说短不短。在这期间，您会经历许多事情，发生很多变化，连您的想法也会改变。您现在做不到的事情，也许十年后就能做到了。"

"这是什么意思？"

"算了，您就当这是魔法师的自言自语吧。啊，对了，以后您忘记了保管期限也不要紧，我会寄信通知您的。祝您一路顺风。"

尽管西芝很想弄清楚十年屋的话是什么意思，但她没有追问，只是默默打开白色大门，走了出去。

正如十年屋所说，西芝立刻回到了自己的房间。她急忙转身，发现魔法师的店铺已经完全消失了。

"啊，像是做了一场梦。"

但她知道这不是梦——装婚纱的箱子已经从房间里消失了。

那件婚纱在魔法师的店铺里……封存在泡泡中，沉睡于时间里……

想到这里，西芝露出释然的笑容。

等着我。等我回国后买了新房子，我一定把你取回来。我不会让你等十年的。

西芝在心里对婚纱喊道，然后便继续收拾东西了。

之后，西芝经历了很多事情。搬到国外后，令人手足无措的新生活开始了，她认识了新朋友，还生了宝宝。

充满挑战的生活令她手忙脚乱，她回顾往事的时间越来越少。

西芝不知不觉忘记了那件婚纱。要不是十年屋寄来卡片，她可能一直都想不起来。

卡片是在傍晚时寄到的。

西芝当时正忙着处理家务事：她既要安抚最小的孩子，又要劝阻两个大孩子吵架，还要准备晚餐。

"啊，好想多一只手啊。你们别吵了！什么？想吃零食？我不是说一会儿就吃饭了吗？别哭了，我不是在凶你。"

她取出煮意大利面的锅，却在锅的下面发现了一张深棕色的卡片。

看到这张装饰着美丽藤蔓花纹的卡片，她的记忆瞬间苏醒了，如同冰封的河流重新开始流动。她想起了十年屋和自己寄存在那里的东西。

"我为什么会忘记呢？"

她用颤抖的手拿起卡片，发现上面写着这样一封信：

致西芝·迈纳女士：

时隔十年向您致以问候。您过得还好吗？您在本店保管的东西即将到期。您如果想将其取回，请打开对折的卡片；您如果不想取回，请在卡片上画一个"×"，这样，这件物品就正式归十年屋所有了。

多谢关照。

十年屋

西芝的脑海中一下子浮现出了那件婚纱。

纯白色的光滑丝绸上点缀着精美的花朵刺绣和密密麻麻的亮片，稍微一动就闪闪发光。她清晰地记得自己穿着它向丈夫走去时心中的自豪和喜悦，还有丈夫对自己说"你今天很美"时的表情。

那是一件精美的婚纱，也是一件承载着美好回忆的婚纱。

"妈妈！妈妈！"

感到自己的裙子被拉扯，西芝回过神来。

她低下头，看见孩子们都围在自己身边。

"我饿了，晚饭还没做好吗？"

"妈妈，你看，这个好厉害！"

"呜呜……妈妈，我想看动画片！"

西芝望着正在呼唤自己的孩子们。

三个孩子都是男孩。她不准备要第四个孩子了，因为就算怀上了，有可能还是男孩，而且家里的仓库和柜子里，早已经放满了孩子们的东西。

孩子们刚出生时穿的衣服，孩子们画的画……满载回忆的东西不断增多，即使取回婚纱，她也没有地方放。

西芝深切地感受到，自己已经是妈妈了。现在，在她的心里，孩子才是最重要的，其他东西都不足以与孩子相提并论。

所以，西芝在卡片上画了"×"。

下一秒，卡片像被无形的火焰点燃了似的越变越小，直到消失。

她和魔法师的契约结束了，她彻底失去了那件婚纱。

西芝的内心闪过一瞬的痛苦，但是她马上赶走了那种感觉，露出笑容面对孩子们。

"知道了，知道了。抱歉，妈妈刚刚有事情必须处理。妈妈马上去做饭，再等一会儿吧。"

她最终下定决心：今后即使再怀念这件婚纱，也不会因为自己放弃了它而后悔。

尽管她这么想，但是……

又过了十几年，西芝内心产生了强烈的悔意。她的大儿子结婚了，有了一个女儿。

孙女的名字叫妮妮，西芝非常疼爱她。看着一天天长大的妮妮，西芝很后悔。她想，自己当时为什么要放弃那件婚纱呢？

"啊，好想把婚纱送给妮妮，要是当时从十年屋取回来就好了。那件婚纱现在变成什么样了呢？要是知道十年屋在哪里，我很愿意去那儿再把它买下来。"

当然，她知道这是不可能的。那件婚纱可能被人买走了，也可能被人扔掉，最后从世界上消失了。

西芝内心的悔意和悲伤不断加深。

很快，妮妮迎来了四岁生日。

现在的妮妮特别喜欢闪闪发光的东西和可爱的东西，因此西芝想送给她一个闪闪发光又可爱的玩偶。

在去玩具店的路上，西芝路过一条狭窄的小巷。她不经意地朝里面瞄了一眼，不由得轻轻啊了一声。

小巷深处有两只猫。

一只是小猫，浑身长着奶茶色的短毛。它用后腿站立，穿着黑色的连衣裙，围着带花边的白色围裙，打扮得像一名女仆。

另一只体格较大，身上是毛茸茸的橘黄色。它也用后腿站立，穿着黑色马甲，马甲上面有精致的刺绣。

两只猫开心地并排走着，似乎要在下一个转角转弯。

西芝回过神来，飞快地跑进小巷。

"等等！你是客来喜，对吧？"

但是，她喊出来时，两只猫已经拐过了转角。西芝跟着拐过去，两只猫的身影却已经消失了。

西芝无力地靠在了小路旁边的墙壁上。

一看到那只橘黄色大猫，西芝就想起了十年屋的管家猫客来喜。她很想问问客来喜自己那件婚纱的去向。

不过，那应该不是客来喜吧。就算它是魔法师的猫，也不可能这么长寿吧。

"是时候忘掉那件婚纱了。"西芝对自己说。

但就在她转过身，准备回到大路上时，她呆住了。

这里不知什么时候起了大雾，她只能看清身边两米以内的东西。

西芝的心脏怦怦直跳。

突如其来的大雾，突然变得静谧的周遭，还有不可思议的氛围……她记得这种感觉，当年她去十年屋时也是这样的感觉。

难道我再次回到了魔法街？那我说不定能再去一趟十年屋。

怀揣着希望，西芝在大雾中边走边找。

的确，西芝再次来到了魔法街，但她找到的店铺不是十年屋，而是一家她没见过也没听过的商店。

这家店的门像是个桃粉色的圆形纽扣，一整面外墙上也镶嵌着各式各样的纽扣，像鱼鳞一样排列着，不留一点儿缝隙。屋顶装饰着巨大的毛线球，整栋房子就像一个巨型针线盒。总之，只能用"稀奇古怪"这个词来形容这家店。

西芝很惊讶。她不敢进店，决定先从窗户朝里面看看。

她蹑手蹑脚地走了过去。看到摆在窗边的玩偶时，她一下子屏住了呼吸。

那是一个漂亮的玩偶女孩，她有着鲜艳的红色头发和碧绿色眼睛，脸上挂着灿烂的笑容——和妮妮一样。

不过，真正让西芝震惊的是，玩偶穿着一件非常精美的婚纱。

那是一件纯白色的婚纱，上面绣着精致的刺绣，还镶嵌着亮片，闪闪发光，和西芝的那件婚纱很相似。

西芝的心顿时跳得飞快。

啊，世界上居然有如此神奇的事情！

西芝心中乱作一团，但她唯一可以确定的是，这个玩偶在等待着她。

西芝决定买下这个玩偶。

无论经营这家店的魔法师是个什么样的人，无论这个玩偶卖得多贵，我都不介意，我一定要买下它，送给妮妮做礼物。

想到这儿，西芝急匆匆地推开门，冲进店里。

3

严重的失误

我终于摸到艾米丽了！

小琳站在姐姐的房间里，激动得全身颤抖。

让她如此激动的是眼前这个公主玩偶——姐姐最心爱的玩偶。它是大姨送给姐姐的生日礼物，有一头黑色的鬈发和一双紫色的眼睛。姐姐给它取名"艾米丽"。

看到艾米丽的第一眼，小琳就深深地喜欢上了它。

为什么它是送给姐姐的，而不是送给我的呢？明明跟十岁的姐姐相比，六岁的我才更适合跟艾米丽做朋友呀。

小琳一直希望姐姐早点儿玩腻艾米丽，然后把它送给自己。

但她的希望落空了，姐姐也非常喜欢艾米丽，平时连摸都不让她摸一下。

"我才不要借给你！你肯定会把艾米丽弄脏弄坏的！"

"我不会的！"

"说得好听！我的兔子和小熊都是你弄脏的吧？我的茶杯是你摔坏的吧？我的心形项链也是你弄坏的吧？所以，我绝对不会让你破坏艾米丽的！你不准碰它。你要是碰到它一根手指，我就把你所有的玩具都弄坏！"

但是，姐姐越是不让碰，艾米丽对小琳的吸引力就越大。

小琳真的很想摸摸艾米丽，哪怕一下也好！

终于有一天，小琳付诸了行动。

她趁着姐姐去朋友家玩的时候，悄悄进入了姐姐的房间。看着桌子上的艾米丽，她连眼睛都不舍得眨一下。

艾米丽的确漂亮又可爱。据说它是大姨从国外买回来的，所以穿着风格奇特的衣服，还有一种神秘的异国情调。艾米丽不仅漂亮，而且很珍贵。

小琳对姐姐嫉妒得不得了。

姐姐的运气太好了，居然能得到这么好看的玩偶。还不让我碰，真讨厌！

小琳平时确实毛手毛脚的，经常弄坏东西，但她坚信自己决不会弄坏精致的艾米丽。

趁姐姐不在，我摸一下应该没关系吧。只要不让姐姐知道，她就不会生气。

小琳这样想着，伸出手摸了摸艾米丽。

可是摸到艾米丽后，小琳又想跟它玩了。

没关系，只要在姐姐回来之前，把艾米丽放回去就好。

于是，小琳抱住了艾米丽，还摸了它的头发。

没玩一会儿，她又想给艾米丽化妆了。

姐姐要是看到化妆后变得更漂亮的艾米丽，说不定会对我刮目相看，允许我跟艾米丽玩呢。

小琳美美地想象着那个情景。她急忙拿来画具，小心翼翼地用红色颜料给艾米丽涂口红。

然而，她搞砸了。

红色颜料晕开了，艾米丽的嘴巴变成了小丑嘴巴。

小琳慌忙拿来抹布想给艾米丽擦干净，结果反而把颜料抹得到处都是。

"糟了，我该怎么办？"回过神来时，小琳的脸都吓白了。

完了，要被姐姐发现了！

姐姐要是看到艾米丽变成这样，一定会很生气吧？她一定会大吵大闹，然后把我的玩具也都弄坏！

啊，妈妈肯定也不会站在我这边。她说不定会取消我下周的生日会，还会说"不听话的孩子，没有庆祝生日的资格"。

不行，这样不行。

抱着已经变成大花脸的艾米丽，小琳焦躁地在姐姐的房间里走来走去。她不知道该怎么办，但还是绞尽脑汁想办法。

就在小琳想到可以把艾米丽藏起来时，她发现地板上多了一张对折的卡片。

小琳的目光无法从这张漂亮的卡片上移开。她从卡片中感受到一种吸引力，和她第一眼看到艾米丽时感受到的吸引力一样强烈。

小琳捡起卡片，下意识地打开了，像翻开绘本一样。

等回过神来时，她已经站在一条陌生的街道上了。

这里弥漫着浓重到发蓝的雾气，周围一片寂静。小琳感到不安，但又觉得待在这里总比待在家里好。

干脆找个地方躲一会儿吧，这样大家就会担心我，到时候我再回家，他们就不会计较我弄脏艾米丽的事情了。

小琳越想越觉得这真是个好主意。于是，她决定就这么干。

前面不远处就有一扇白色的大门，先进去看看吧。门上的窗户还透着灯光，好像在呼唤我呢！

小琳好奇地走到白色大门前。就在抓住门把手的时候，她听到了抽抽搭搭的啜泣声。

小琳不由得竖起了耳朵。

听哭声像是一个孩子，而且这哭声很悲伤，让小琳不由得想要去安慰那个孩子。

于是，小琳松开门把手，循着哭声绕到了这栋房子的后面。

房子后面是一条狭窄的小巷，后墙上有一扇蓝色的门——应该是后门，门旁堆着几个大木箱。

一只穿着黑色连衣裙、围着白色围裙的小猫正坐在一个木箱上，像人一样用围裙捂着脸抽泣，那可怜的样子让人心生怜爱。

我想把这只小猫带回家！它有伤心事的话，就让我来当它的朋友安慰它吧！

就在小琳想靠近小猫的时候，咯吱一声，那扇蓝色的门开了。

有人走了出来。

小琳被吓了一跳，赶紧后退几步，躲在拐角观察情况。

出来的是一个身材颀长的男子。他穿着白色衬衫、深棕色的马甲和裤子，戴着银框眼镜，围着一条围巾，围巾的颜色让人联想到晶莹的泪珠。

男子没有发现小琳。他径直向小猫走去，在它旁边蹲下来。

"蜂蜜，你怎么了？为什么哭呀？"

"因为……因为我搞砸了……"那只叫蜂蜜的小猫用小到几乎听不到的声音说。

"搞砸了？你搞砸了什么？"

"这个……那个……好多都搞砸了……"

泪水从小猫蜂蜜色的眼睛里涌出来。

"师父让我看着烤炉，等饼干变成焦糖色就告诉它。我一直看着烤炉，但是因为无聊，我中途犯困了。"

"嗯，我理解，烤炉周围暖烘烘的，犯困也难免。"

"我怕我会睡着，就想去把厨房的窗户擦干净。我以前虽然没有擦过玻璃，但是我看师父擦过，就以为自己也能做好。"

"嗯，我大概知道后面发生什么了。你打开了窗户，对吧？"

"对，然后一只大蝴蝶飞了进来。"

蜂蜜垂头丧气地说，看到蝴蝶在天花板上飞来飞去，不知为何，它非常难以忍受。

"反正我觉得要抓住它，于是就去追蝴蝶了，等我停下来时，厨房已经一片狼藉。小麦粉、面包粉、香辛料撒了一地……而且，烤炉还冒烟了。"

"原来如此，饼干烤焦了吗？"

"没有，没有烤焦……"

"哦，是吗？"

"它……它们彻底变成了黑炭……"

听到蜂蜜这番话，小琳不由得缩了缩头。

蜂蜜虽然不是故意的，但它确实搞砸了好几件事——自作主张去擦玻璃，追蝴蝶把厨房弄得一塌糊涂，最后还把饼干烤成了黑炭，它不可能不难过。

男子似乎也不知道该说什么。

"唉……你好像确实搞砸了很多事情啊。然后呢？客来喜凶你了吗？"

"没有，师父还不知道。但是它知道后，一定会生气的！唉，我真是个不合格的魔法使，师父一定会训斥我，再也不想教我了！"

说到这里，蜂蜜内心恐慌起来，放声大哭。

小琳很理解蜂蜜的心情。她觉得蜂蜜和平时的自己很像。

其实，一个人把事情搞砸后，他自己会比其他人更难受，还会陷入深深的自责之中。小琳就经常这样。

她知道自己有错，也正因为知道自己错了，所以才不想再被人责备，而是希望有人温柔地对自己说："没关系。"

那只小猫一定也是这样想的。

小琳决定去找蜂蜜，把自己的想法告诉它。

我会安慰蜂蜜，鼓励蜂蜜，并把它带回家。我发出邀请的话，蜂蜜一定会答应的，因为现在它肯定想要逃走。

但是，就在小琳准备走出来的时候，那个男子笑了起来，先一步抱起了蜂蜜。

"哈哈，你好像误会客来喜了，它才不会因为你搞砸了这些事情就生气。不要哭啦，没关系的，你先冷静下来。"

"但是，我……"

"做错事是不可避免的，不过下次必须注意啊，尽量不要把同样的事情做错两次。为什么会搞砸，你应该知道吧？"

听到男子的问话，蜂蜜轻轻地点了点头。

"师父已经对我说过，一次不要做太多事情，认真完成一件之后，再开始做下一件。可我总是什么都想做，觉得自己能同时把很多事做好。"

"对，这就是你搞砸的原因，你能明白就很棒了。"

"但是，师父可能已经不再信任我了。"蜂蜜垂头丧气地说，"我真是一个没用的徒弟，干活儿很慢，还不听话，连师父的说话方式都没学会。"

"说话方式倒不用太在意，也不用什么都学客来喜。你说话的方式也很可爱，很有自己的风格。"

"真的吗？"

"当然，不要怀疑自己。我跟你讲讲客来喜的事

53

情吧，不过你可不要说是我告诉你的。其实客来喜一开始也经常把事情搞砸，比如把盐当成糖放进布丁里，洗衣服时把我的围巾弄坏了，出去买东西却迷路了……"

"师父也会搞砸事情？"蜂蜜惊讶得瞪圆了眼睛。

男子笑了。

"是啊，它还做过烤老鼠让我吃呢。总之，客来喜以前也搞砸过好多事情。每次搞砸后，它也会很失落，但它很快就会重新振作起来，下次努力做得更好。这是客来喜最厉害的地方，它从不会一蹶不振，也不会犯同样的错误……你明白我的意思吧，蜂蜜？"

"嗯……嗯。"

"你是个好孩子。要降温了，快进屋吧。我来帮你收拾厨房。"

"没事，我自己就……"

"你看，就因为总是逞强，你才会把事情搞砸。"

"是这样的。"忽然，又一个声音响起。

蓝色的门前，不知什么时候多了一只橘黄色的大猫。它穿着有精致刺绣的黑色马甲，系着黑色的蝴蝶领结，跟蜂蜜一样可爱得让人想抱一抱。它一手拿着扫帚，一手拿着簸箕。

"师……师父！"蜂蜜慌了。

橘黄色大猫用责备的语气说：

"你以后可不能一声不吭就走掉，否则我会担心的。"

"抱……抱歉，我把厨房弄得一团糟……饼干也不能吃了。"

"我已经看到了。"

"啊！"

蜂蜜小声惊叫了一下，僵在原地。看着这样的蜂蜜，橘黄色大猫眯起眼睛，温柔地说：

"碎片飞得到处都是，我很担心你。你怎么样？没有受伤吧？"

"啊？我没事。"

"那太好了，我们赶快去打扫吧。大家一起打扫的话，很快就能收拾好。我们下次再一起做饼干。"

"对，"男子笑着点了点头，"我也来帮忙。对了，蜂蜜，我教你做芝士蛋糕吧。虽然有自夸的嫌疑，但我做的芝士蛋糕还是拿得出手的。"

"好！我一定好好学。"

"真是个好孩子，我们进去吧，客来喜。"

于是，一人两猫亲亲热热地消失在了蓝色的门里。

啪的一声，门关上了，小巷恢复了宁静。

现在这里只剩小琳一个人。

小琳不由得看向自己怀里的艾米丽。

她突然很想哭。

回想起来，小琳已经不知道犯过多少次同样的错误了。

每次做了错事，小琳首先想的是隐瞒，瞒不住了才急忙道歉说"对不起，我不会再犯了"。然而，她道歉并不是因为真的意识到自己做错了，而是因为不想被别人训斥。

因此，对方没有原谅她的时候，她就会愤愤不平地想：好过分啊，明明我都道歉了。

不论是隐瞒、道歉，还是找借口，她都是为了自己。

时间长了，姐姐当然不会再相信她了。

我真是大错特错，竟以为蜂蜜和自己一样。其实和蜂蜜相比，我是多么自私和虚伪啊！

小琳第一次发自内心地反省自己，也是第一次因为对不起姐姐而感到痛苦。

我要向姐姐道歉，尽管她可能不会原谅我，但我还是要诚恳地跟她说"对不起"。

小琳迫切地想要回家。

她的愿望立刻实现了，就在她脑海里出现回家的想法时，她就回到了姐姐的房间。

与此同时，她听到了姐姐的声音："我回来了。"

小琳拿起被她弄脏的艾米丽，朝姐姐走去。

4

魔法街上的跑腿工作

蜂蜜目不转睛地望着十年屋，心脏怦怦直跳。

十年屋在它期盼又紧张的目光中吃着三明治。

慢悠悠地品尝完三明治，十年屋笑着看向蜂蜜。

"很好吃，面包烤得刚刚好，夹在里面的土豆沙拉也很美味。蜂蜜，你真的进步很快。"

"谢……谢谢您！"蜂蜜高兴得都有些结巴了，"这……这都是因为师父教得好……所以……所以我才能学得快。"

这是蜂蜜的真心话。

截至今天，蜂蜜来十年屋满两个月了。客来喜教了它很多东西：收拾房间的技巧，快速清洗餐具的技巧，清除衣服污渍的技巧，做菜和做甜点的技巧……它能做的事也越来越多。

一开始蜂蜜很着急，什么都想学，结果搞砸了很多事情。客来喜告诉它，不用着急，要有耐心，先将精力集中在一件事情上。

从此之后，蜂蜜每天都能学到新的东西，它为此开心得不得了。

但是……

它总觉得缺了点儿什么。

说实话，迄今为止，它的生命中应该没有比现在更幸福的时候了。现在的它有舒适的小屋，有美味的饭菜，身边还有温柔的十年屋和客来喜。

无论是十年屋送给它的可爱的连衣裙，还是客来喜给它做的白色围裙，蜂蜜都很喜欢。当时离开妈妈后饥寒交迫的生活和现在的生活相比，简直是天壤之别。

尽管如此，随着时间的流逝，蜂蜜却觉得心情越来越无法平静。它心中的一个想法也越来越强烈：它想要去寻找某个重要的人——不，是必须去寻找那个自己应该追随的人。

我明明很喜欢十年屋和客来喜，可是为什么还会有这样的想法呢?

蜂蜜觉得自己不知道感恩，为此非常苦恼。

但是，它将自己的想法告诉十年屋后，得到的回答却是"这是当然"。

看着困惑的蜂蜜，十年屋微笑着说:

"尽管你还在学习，但你毕竟是一名很有天赋的魔法使。魔法使就是一种会从内心深处想要追随主人的生物。找到一位值得托付灵魂的主人，并陪在他身边，是魔法使的本能。所以，你完全不需要因此而烦恼。"

"本能?"

"没错。既然这种想法越来越强烈，你就必须马上去寻找一位主人了。你已经学会做不少事情了，现在时机正好。其实这件事托搜索魔法师米内做最好，但是我根本不知道她在哪里，也不知道她什么时候会回到这里。"

"那我能做些什么呢?"

"我想想。"

十年屋思考了一会儿，轻轻拍了一下手，说：

"今天客来喜要出去帮我跑腿，你跟着它在魔法街上逛逛吧。住在魔法街上的很多魔法师都没有魔法使，他们之中说不定有适合你的人。"

"什么样的人是适合我的人呢？"

"等你遇到了，你自然会知道，你的灵魂会告诉你。"

"灵魂？"

看着惊讶得瞪大眼睛的蜂蜜，十年屋温柔地给它围上奶油色的围巾。

"今天会降温，要注意防寒啊，你和客来喜不一样，你是短毛猫。——客来喜，客来喜，你在吗？"

"我来了，主人。"客来喜立刻跑了出来，"主人，有何吩咐？"

"今天就让蜂蜜跟着你去跑腿吧，我想让你把它介绍给魔法街上的人。之后，我还要拜托你们去一趟滔滔先生那里。"

"是通知屋的滔滔先生吗？"

"对。我还想把蜂蜜介绍给目前不在魔法街的人。啊，你等一下，我写张纸条给你。"

说着，十年屋在一张小纸条上快速写了些什么，然后将纸条递给了客来喜。

客来喜收下纸条，点了点头。

"我知道了。蜂蜜，我们走吧。"

"好……好的。"

"你这样出去会冷的，披上披肩吧。"

就这样，客来喜带着蜂蜜出门了。外面寒风凛冽，蜂蜜却一点儿都不觉得冷。围着十年屋给它围上的围巾，披着客来喜给它的柔软的披肩，蜂蜜觉得自己身上和心里都暖暖的。

蜂蜜抬头看向提着篮子的客来喜，问：

"师父，我们要去哪里？"

"我们先去色彩屋。"

"色彩屋的魔法师很可怕吗？"

"一点儿都不可怕，他是一个可爱又安静的少年，不过，他的魔法使——变色龙帕雷特却是个话痨。他们住在一栋彩虹色的木桶形状的房子里，你一眼就能认出来。"

客来喜的话不假，彩虹色的色彩屋，离得很远都能一眼认出。

色彩屋的主人阿靛是一个安静的少年，他穿着水蓝色的雨衣和长筒雨靴，雨衣上还有一个大大的兜帽。

阿靛几乎不说话。帕雷特则与他完全相反，一直说个没完，而且它说话的时候，身体一会儿变成绿宝石色，一会儿变成橙色。

"啊，你是新来的魔法使？真不错啊。你叫蜂蜜吗？你的名字和眼睛的颜色很相称。欢迎，欢迎！果然同伴多了就是开心。对了，等你找到主人安定下来以后，我们魔法使一起开个茶话会吧！"

"真是不错的主意。"客来喜说。

这时，阿靛终于说话了："帕雷特，你得问问客来喜的来意……"

"啊，对对对！客来喜，你们到这里来，是十年屋先生有什么委托吧？他需要什么颜色吗？"

"是的，主人想给这个东西换个颜色。"

客来喜说着，从篮子里拿出一个大瓶子。瓶子里是一个铁锈色的东西，看着像某种病毒。它就像会呼吸一样，一会儿鼓起来，一会儿瘪下去，尖端还闪烁着锐利的光芒。

"这到底是什么？"

"好像是某位客人的头痛。"

"头痛？怪不得长着这么多刺呢。我要是被这东西缠住的话，肯定也会想方设法托十年屋先生把它取出来的。阿靛，你行吗？"

"没问题，这个也可以变成漂亮的颜色。"

阿靛说这话时语气很坚定，全然没了刚才的羞怯。接着，他利落地放下了一直戴在头上的兜帽。

蜂蜜惊讶得屏住了呼吸——阿靛的头发居然是彩色的！

金、橙、红、绿、淡蓝、绛紫、银白这七种颜色的头发，美丽而闪耀，在空中微微飘动着。

随后，阿靛从客来喜手中接过装着头痛的瓶子，
用清澈的声音唱起歌来：

> 春天，在原野上采摘吧。
> 黄色油菜花、紫色紫罗兰。
> 夏天，在山林中寻找吧。
> 蓝色鸢尾花、黑色的莓果。
> 秋天，在大山中捡拾吧。
> 红色的落叶、金色的橡子。
> 冬天，在森林中搜索吧。
> 银色槲寄生、绿色的柊树。
> 我收集的无穷无尽的宝贝，
> 全都送给你吧！
> 我提取的众多色彩，
> 一定能满足你的期待！

伴随着歌声，魔力被注入瓶中。头痛那令人生厌
的铁锈色渐渐变成了浓郁的红茶色，炫目的金色粉末

混在其间，形成了大胆的撞色。

阿靛开心地看着手中的瓶子，说：

"这折磨人的头痛……变成了漂亮的颜色，对吧？"

"谢谢。主人一定很开心。"客来喜接过瓶子，放回篮子里，"主人说，下次你去十年屋的时候，可以任选一件商品作为报酬。"

"真的吗？谢谢。我希望能找到一样东西做我们的浴缸。我们现在把一个大碗当浴缸，但它实在太小了，而且在大碗里泡澡，我会有一种自己变成汤料的感觉，我不太喜欢……对了，接下来你们还要去拜访别的魔法师吗？"

"是的，我们还要找都留婆婆和比比小姐帮忙。"

"哇，好可怕。"

帕雷特突然发出呻吟。它转过身，一脸担忧地看向蜂蜜。

"蜂蜜，你千万要注意啊。要是知道你这么可爱的小猫在寻找主人，那两个人绝对会双眼放光的。"

"是……是吗？"

"没错，那两位都特别喜欢可爱的东西，而且她们都没有魔法使。"

这时，阿靛小声插嘴道："帕雷特……都留婆婆有哈迪了……"

"你是说那只恐怖的熊吗？它又不是魔法使，只是都留婆婆用魔法制造出来的用于保护自己的东西。总之，客来喜，蜂蜜找主人这件事最好先对这两个人保密，至少今天要保密。"

"我正准备这么做。"

客来喜露出心领神会的表情。蜂蜜不禁担忧起来，那两位到底是什么样的魔法师呢？

但是，见过面后它发现，改造屋的都留和天气屋的比比一点儿也不可怕，她们只是个性过于鲜明而已。

都留住在一栋像针线盒一样的房子里。她穿着一件缝满纽扣的连衣裙，戴着一顶装饰着针、剪刀、毛线球和线轴的大帽子，留着亮粉色的短发，脚上还穿着轮滑鞋。这个打扮让蜂蜜很吃惊。

此外，都留还背着一个由碎布拼凑而成的小熊背包。蜂蜜心想，帕雷特所说的可怕的熊难道就是它吗？

都留笑眯眯地对蜂蜜说：

"哎呀，多么可爱的小猫啊！你是谁家的魔法使吗？有新魔法师搬来魔法街了？"

"蜂蜜暂时由我带。"客来喜急忙回答，"它在跟我学习魔法使需要具备的知识和技能。"

"哈哈，那很不错啊，客来喜是个优秀的榜样。对了，你们找我有什么事情吗？"

"主人说，我们店里有一件您一直想要的东西。现在它已经归本店所有了，所以主人让我们给您送来。"

客来喜将爪子伸进篮子里，取出一个小小的球。

这个球是用布做的，已经褪色，还有好几个地方都开线了。它看上去又破又旧，怎么看都是废品。

然而，都留好像收到了什么宝贝一样，眼睛亮亮的。

"啊，太好了，太好了！这真是个好东西啊！我的确一直很想要它，那么我就收下了。十年屋想要什么报酬？"

"主人说他现在还没有想要的东西，等想到了再跟您要。"

"我知道了。——嚯，这个球可以做成一个很棒的东西……哈哈！"

告别了笑得合不拢嘴的都留，客来喜和蜂蜜又回到魔法街上。

蜂蜜边走边问客来喜：

"收到那么旧的球，都留婆婆为什么还这么高兴？"

"都留婆婆的工作就是把别人不需要的东西或废品改造成好东西。"

"所以她的店才叫改造屋？"

"没错。你看到了吗？都留婆婆的店里有许多闪闪发光的东西，那些都是她改造的。所以我想，她一定能把那个球改造成我们想不到的东西。"

蜂蜜心里很是敬佩：魔法师们都好厉害啊！如果都留婆婆是我的主人，我一定每天都有好心情，每天都干劲儿满满。都留婆婆会是我命中注定的主人吗？

就在蜂蜜沉浸在自己的思绪中时，它和客来喜来到了天气屋。

天气屋是一顶红黄条纹相间的大帐篷，像个马戏团。天气屋的主人比比是一个打扮独特的少女，又高又瘦。她有一双闪闪发光的眼睛，脸上长着雀斑，留着黑色齐肩直发，头发末端修剪得很整齐。此时她头戴狐狸耳朵发箍，脖子上挂着用大颗的珠子穿成的项链，身穿飘逸的黑色蕾丝束腰上衣和红底紫色波点打底裤，脚上则穿着一双点缀着银色星星的厚底长靴。

比比在门口迎接蜂蜜和客来喜。

"小蜂蜜，请多关照。"

"嗯，也……也请您多多关照。"

"哈哈，你好可爱呀。你是谁的魔法使？什么时候搬来的？"比比像连珠炮似的问个不停。

客来喜用应付都留婆婆的说辞简单解释了一下，便转移了话题：

"对了，比比小姐，我家主人有事情拜托您。"

"拜托在下？"

"是的，他想要一个满天星空的夜晚。报酬和往常一样，您有什么东西需要施加时间魔法吗？"

"在下最近正好收获了'宝石星空'，可以给十年屋先生。在下也有东西需要十年屋先生帮忙施加魔法。稍等一下，在下现在就去准备。你们快进来，看看在下怎么收获天气吧。"

听到比比这样说，客来喜和蜂蜜便进了帐篷。

帐篷里面有一张长长的桌子，上面摆放着一些像实验器材一样的东西，有烧瓶、烧杯，还有试管，只不过这些容器里面放着的是小小的太阳、月亮、雷电和积雨云。

不只是蜂蜜，就连客来喜都瞪大了眼睛。

"好厉害！比比小姐，这些都是天气吗？"

"它们是天气种子，是在下从各地收集来的。不过要先通过这样的方式培育一下，之后才能施加魔法让它们变出天气。你看，这就是你家主人想要的星空。"

比比拿起一个烧瓶给它们看，只见里面有无数闪耀的光点。

在猫咪们的注视下，比比唱起了魔法歌谣：

哪里有朝向太阳的向日葵？

我的眼前只有满天星。

我想要功效众多的鸭跖草，

漫山遍野却只有香蜂草。

今天的花不满意，

那就换一朵。

想要的花啊，请到我手中吧！

比比一边唱歌，一边用右手拿起烧瓶，将里面的
东西倒进左手手心。

那些闪闪发亮的光点居然没有洒出来，而是眨眼
间在比比手心里幻化成了一颗珠子。

"好了，给你们。"

客来喜和蜂蜜一齐看向比比递来的珠子。

封印在珠子里的星空美丽得令人惊叹。客来喜高

兴极了。

"非常感谢！主人一定很高兴。"

"不用谢。至于给在下的报酬……把这个给你的主人带回去吧。"

比比拿出一个大马克杯，杯子上画着马戏团的图案，那鲜艳的色彩和欢乐的画面很适合比比。

"这是之前老波先生给在下的，是在下和他成为茶友的纪念品。在下可不想把它摔碎或者磕坏，所以想托十年屋先生给它施加魔法。"

"好的，我回去交给主人。"

"嗯，拜托你了。"

就这样，天气屋这边的事情也办完了。

离开帐篷后，蜂蜜想：如果比比小姐是我的主人，我一定每天都过得很刺激，绝对不会无聊。不过，比比小姐提到的老波先生又是谁呢？

蜂蜜有些好奇，便问客来喜。客来喜答道：

"老波先生也是魔法师，他使用的是封印魔法。你看，比比小姐的帐篷旁边那个巨大的瓶中船就是老波先生的家。老波先生正在追求都留婆婆呢。"

"都留婆婆？刚刚我们去的那个改造屋的老婆婆？"

"是的。我支持老波先生。等他们结婚那天，我会给他们做最完美的婚礼蛋糕。"

"他们两个会结婚吗？"

"现在还不知道，但是我希望他们能结婚。不过我现在也只能想想。"

听了客来喜的这番话，蜂蜜也想去见一见老波先生。它觉得，能追求都留婆婆，这个人一定既沉稳又温柔。这样的人如果成为自己的主人，那会是一件多么美好的事情啊！

蜂蜜一边思考，一边跟着客来喜去拜访其他的魔法师。

这次去的地方又是一栋奇怪的房子。不，与其说是房子，不如说是高塔。用砖块砌成的高塔外壁围绕着一圈螺旋状的阶梯，可以直通塔顶。除了阶梯，塔上没有任何门窗。

蜂蜜瞪大了眼睛。客来喜说：

"这里就是通知屋，它的主人叫滔滔。这里是今天的最后一站，我们顺着台阶爬上去找他。"

两只猫顺着台阶爬到了塔顶。

塔顶有一个巨大的鸟巢，鸟巢由长短不一的树枝搭建而成，看起来很结实，里面还铺着柔软舒适的稻草。

鸟巢里一件家具都没有，但摆着许多盆栽，每个盆栽上都挂满了像鸟蛋一样的果实。

鸟巢中央坐着一名青年，他正在吹奏竹笛，笛声轻柔婉转。

那就是滔滔吗？蜂蜜睁大了眼睛。

滔滔有着和白鹭一样细长的腿，和猫头鹰一样又大又圆的眼睛；身上披着一件由许多种鸟羽缝制而成的披风，头上戴着鸟头帽子，帽子上还带着长喙——这让他看起来像一只大鸟。这身打扮很符合他鸟巢主人的身份。

看到走近的客来喜和蜂蜜，滔滔放下竹笛，笑着说：

"呀，这不是十年屋的管家猫吗？欢迎来到我的鸟巢。你还带了一个可爱的朋友啊。"

他的语调很优美，像在吟诵诗歌。仅仅是听到他打招呼的声音，心情就像听到悦耳的歌声一样轻快愉悦，蜂蜜觉得很不可思议。

客来喜心情也很好，它眯起眼睛，向滔滔打招呼：

"好久不见，滔滔先生。这只小猫叫蜂蜜，是一只正在寻找主人的魔法使，目前在我这里做学徒。"

"哦，是吗？那我知道你们找我做什么了，是想让我把蜂蜜找主人这件事告诉魔法师们吧？"

"是的，麻烦了。"

浏览完客来喜递过来的纸条后，滔滔点了点头。

"交给我吧，我马上就做。"

滔滔气定神闲地接下了委托。他利落地站起身，走到盆栽旁唱起歌来：

鹭兰、朱兰、翠雀花，

79

随风飞向空中。

越过千山，渡过万海，

飞快地传递消息。

为了将人与人联系起来，

我们才被赐予了翅膀。

鹭兰、朱兰、翠雀花，

带着消息，飞舞吧！

滔滔的歌声有一种如梦似幻的魅力。

蜂蜜感觉自己好像也长出了翅膀，正在高空中飞舞似的。

有这种感觉的不只是蜂蜜。

这时，一阵噼里啪啦的声音响起。盆栽上那些鸟蛋一样的果实不断破裂，数不清的翡翠色小鸟破壳而出。

滔滔用竹笛吹了一个音，小鸟们便像是收到了命令一般，一起飞走了，它们很快消失在蓝天的尽头。

"可以了。无论魔法师身处多么遥远的地方，我

的小鸟都会飞到他们身边，把十年屋先生的话告诉
他们……其实，我也是有机会成为你的主人的，但是
我有很多鸟儿朋友，如果我的魔法使是一只猫，我就
会失去一些鸟儿朋友。所以很抱歉，蜂蜜，我不能做
你的主人。"

"没关系。"

蜂蜜也觉得自己无法成为滔滔的魔法使——看到
翡翠色的小鸟飞起来的瞬间，它的心里就生出一股跳
起来抓住它们的冲动。

这样一来，十年屋交给客来喜和蜂蜜的任务就都
完成了，它们准备回去了。蜂蜜边走边小声对客来
喜说：

"师父，我没想到魔法街上住着这么多魔法师。"

"你有看中的吗？"

"嗯……大家都很厉害……所以我很犹豫。"蜂蜜
吞吞吐吐地说。

客来喜笑了起来，说：

"你不用立刻选择，还有其他魔法师呢，下次见到再给你介绍。"

"好啊。我还想和师父一起跑腿！"

"那就说好了。"

两只猫一边聊着天，一边朝家里走去。十年屋还在家里等着它们呢。

5

令人头疼的礼物

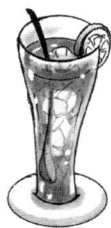

这世上应该没有人会讨厌礼物吧？

怀着"到底是什么呢"的心情解开蝴蝶结，拆开包装纸，惊喜地看到意想不到的或者一直想要的礼物出现在眼前……这样的经历，没有人会不喜欢吧？

但是，人们有时难免会收到自己不想要的或是不知道该怎么处理的礼物。

这样的礼物就很麻烦。它承载着赠送者的一片心意，所以不忍心随随便便扔掉，但是自己又不想留着它。真是太麻烦了！

二十四岁的青年路奇现在便面临着这样的困扰。

"啊啊啊……我该怎么办！"

路奇苦恼地看向一个巨大的长方形箱子。

这个箱子比一个成年人还要高，里面放着一座真人大小的木雕。这是一个年轻女子的形象，她的皮肤是绿色的，头发是紫色的，身上的衣服鲜艳华丽。女子除了有一双正常的眼睛，额头中央还有一只眼睛。这让路奇觉得，她无时无刻不在注视着自己。路奇自己绝对不会买这样的东西。

阿敏为什么要买这样的东西？

他不由得在心里埋怨起将雕像送给自己的朋友。

这座雕像是他的好友阿敏特意送给他的。

"这是我在国外看到的幸运女神像，听说把它放在屋子里，就会收获好运。它很贵，为了买下它，我几乎花掉了当时身上所有的钱。但这没什么，因为我想让你收获好运。你快要结婚了，一定要更幸福啊！"

当时，路奇满怀感激地收下了礼物，直到现在他都很感激阿敏的心意。但是，他一直为不知该如何处理这个礼物而苦恼。

路奇并不喜欢这座木雕的造型，而且他家很小，这么大的雕像让房间显得更拥挤了。

最重要的是，路奇的未婚妻也不喜欢这座木雕。

"两个月后我们就要结婚了，新家也不大，哪里有地方放这么大一座木雕呢？而且它跟我想要的装修风格一点儿也不搭。"

该把这座木雕放到哪里去呢？

尽管路奇还有很多事情要做，比如准备结婚仪式之类的，完全没什么多余的时间，但他还是时不时就想起这座木雕。

"啊……头好痛。"

太阳穴突然像针扎一样疼痛，路奇赶忙用手指揉了起来。

也许是因为太忙了，最近路奇每天都会头痛，那钉子钉进额头般的疼痛，让他无法从零零散散的想法中得出什么结论。

"真烦，头痛怎么一天比一天严重了……好疼啊……不行，我忍不了了。"

路奇决定吃点儿止痛药。

他打开药箱，发现里面多了一张卡片。

那是一张装饰着藤蔓纹样的深棕色对折卡片，上面介绍了一家叫"十年屋"的店，还说无论什么东西都可以交给这家店铺保管。

真是巧了！刚想过河，船就来了。我正好可以把女神木雕寄存在那里。

这家店在哪里呢？这么想着，路奇急忙打开了卡片。

下一秒，他就被卡片里涌出的光芒包裹住，来到了一条陌生的街道上。

这是怎么回事？路奇有些紧张。然而，剧烈的头痛打断了他的思考。

谁来帮帮我？

他踉跄了一下，跪倒在冰冷的石板路上，逐渐失去了意识……

路奇醒来时，发现自己躺在一张柔软的沙发上，身边有一名年轻男子。男子正往他的额头上敷冷毛巾。

见路奇睁开眼睛，男子松了一口气，笑了起来。

"太好了，客人，您终于醒了。"

"客人？"

"是的，这里是十年屋，您在本店的门前晕倒了。我想您一定是想来十年屋的客人，就把您扶了进来。您现在感觉如何？您看起来很痛苦……是因为头痛吗？"

"啊？嗯……"

"这样啊……客来喜，把冷柠檬茶端过来，记得多放些蜂蜜。"男子冲里间喊道。

"知道啦。"

一个甜甜的声音回答了他。接着，一只像人一样直立行走的橘黄色大猫从里间走了出来。它有一双绿宝石般闪耀的眼睛，手里捧着一大杯柠檬茶。

橘黄色大猫走到路奇身边，说：

"柠檬茶来了。客人，请用茶。"

"这茶应该能缓解您的头痛。"男子说。

"谢谢！"

听到可以缓解头痛，路奇立刻把柠檬茶接过来。

茶里放了很多冰块和蜂蜜，冰冰凉凉，甜甜蜜蜜。

路奇一口气喝完了一大杯，头痛居然真的奇迹般地减轻了。

简直就像魔法一样。想到这里，他突然反应过来。

魔法，对，这是魔法。所以，这名围着翠绿色围巾，穿着白色衬衫、深棕色马甲和裤子，长着琥珀色眼睛的男子，一定是魔法师。

正如路奇所想，男子确实是一位魔法师，他的十年魔法可以用来保管任何东西。

路奇认真听完十年屋的话，立刻决定把女神木雕寄存在这里。即使知道要付出一年时间，他的决心也没有动摇。

"阿敏人很好。我和他从小就是好朋友，我被人欺负的时候，他还帮过我。现在我们工作都很忙，所以见面就少了，但是他听到我要结婚的消息非常开心，还把这座贵重的女神木雕送给了我。可我家实在没有地方放，所以想托你保管。"

话音刚落，女神木雕便出现在路奇身旁。

客来喜发出一声尖叫，逃走了。

连十年屋都吓了一跳，惊讶得瞪大了眼睛。

"这个……确实，作为装饰品很让人头疼呢。"

"是的，我的未婚妻也不想把它摆在家里。"

"看来客人很爱您的未婚妻。"

"哪有……"路奇脸红了，"总之，我想把它交给你保管，可以吗？"

"当然可以……不过，客人，您真的决定了吗？"

路奇点了点头。

"是的，拜托你了。"

"我明白了，那么请签订契约吧。"

接下来，路奇在十年屋递来的黑色笔记本上签了自己的名字，把女神木雕交给了他。

几年时光转瞬即逝。

这几年，路奇过得忙碌且充实。他工作顺利，家庭圆满，还和妻子有了一个宝宝。

路奇每天都由衷地感到幸福。

只有一件事情让他很遗憾，那就是他和好友阿敏有些疏远了，因为阿敏每次跟他见面都会提到女神木雕。

"你好好把它摆在家里了吗？这可是我为了让你获得幸福才买的。"

每次听到阿敏这么说，路奇都会很内疚，但又不能坦白木雕被寄存在魔法师那里的事实。他不能邀请阿敏到家里做客，每次在其他地方见面也都要糊弄一番，实在辛苦。渐渐地，他开始避免和阿敏见面。

阿敏可能也感觉到了路奇的回避，逐渐连信也不寄了。

路奇虽然感到内疚，但也松了口气。可与此同时，他又觉得自己很薄情。

终于有一天，这种隐隐约约的自责情绪变成了强烈的悔意——路奇从别的朋友口中得知，阿敏出车祸去世了。

听到这个消息时，路奇哭了。

早知道这样，我就应该多和阿敏见面，更加珍惜这份友情。我应该多邀请阿敏来家里做客，给他看看摆放在家里的女神木雕，对他说："你看，多亏了你送给我的女神木雕，我现在才能这么幸福。"如果这样的话，阿敏该多开心啊！

然而，时间无法倒流，阿敏已经离去了。

我现在应该把女神木雕带回来。无论妻子说什么，我都要把它作为阿敏的遗物，珍重地摆在房间里。

路奇刚一下定决心，就回到了那条雾气弥漫的神奇街道。他眼前是一扇白色大门，上面镶嵌着绘有勿忘我图案的彩色玻璃。

没错，这是十年屋的大门，我回来了。

路奇急忙推开门冲了进去。

店里除了十年屋和客来喜，还多了一只他没见过的奶茶色小猫。

一看到路奇，十年屋就露出了笑容。

"哎呀哎呀，好久不见，路奇·提罗先生。"

"十年屋先生，你居然还记得我？我们第一次见面还是几年前呢。"

"准确来说，是三年五个月十四天前。您再次光临

93

本店，是想取回您的东西吗？"

"是的。其实……送我这个木雕的朋友出车祸去世了，我想把它当作朋友的遗物留在身边。"

"哦……请节哀。——客来喜、蜂蜜，你们过来一下。"

十年屋俯身对两只猫低声说了些什么，两只猫点了点头，径直朝店铺深处走去。

十年屋转身看向路奇。

"请稍等，接下来我会归还您的物品。"

说完，十年屋挥挥手，那座女神木雕瞬间便出现在路奇面前。

木雕和三年五个月十四天前相比没有任何变化，路奇很感激十年屋。

但是，在他向十年屋道了别，抱起木雕准备离开的时候，十年屋叫住了他。

"请留步……客人，您知道甘巴拉加树[1]吗？"

"啊？不知道。"

1　本书作者虚构的树木。——译者注

"那是一种生长在南方的树，木质像大理石一样洁白光滑，乍一看像是上好的木材。但当地人叫它死亡之树，因为这种树有毒，会不断地释放毒气。"

"毒气……"

"是的，听说中毒之人最开始会出现头晕和头痛等症状。渐渐地，症状会越来越严重。所以，这种树非常危险。我之所以告诉您这些，是因为我在保管期间偶然发现这座木雕就是用甘巴拉加树的木材制成的。"

"你说什么?！"

"是真的……您好像不知道这些。"

"我……我不知道。没想到世界上竟然有这样的树。说起来，自从收到这座木雕，我就一直头痛，把它寄存在你这里后，头痛就奇迹般地好了……我一直以为是那杯柠檬茶的功效。"

"本店的柠檬茶没有这种效果。您的头痛能够痊愈，是因为您远离了散发毒气的木雕。但您要是把它带回去，您的头痛会再次出现，而且这次不仅仅是您，您的家人也会成为受害者。我想给您一个忠告：小孩子吸入这种毒气会非常危险。"

路奇的脑海中浮现出妻子和刚出生不久的女儿的面容。对他来说，家人是最重要的，他必须保护家人。

虽然充满了对阿敏的歉意，但路奇还是立刻下定了决心。

抱歉，阿敏，我不会忘了你，但这座女神木雕，我不能拿回家。

他在心中对友人说完，看向十年屋。

"我不带走它了。"

"我也认为这样更好。您和朋友的快乐回忆就是最好的纪念。"

"是啊，是这样。"

路奇最终放弃了女神木雕。

客人走后，十年屋长舒了一口气。

"我还以为说服他会很难呢。客来喜、蜂蜜，你们出来吧。"

听到十年屋的呼唤，客来喜和蜂蜜从高高的物品山后面跳了出来。

"主人，真是太好了。"

"是啊。"

十年屋当时低声告诉它们，如果知道甘巴拉加树有毒后，客人还是执意要把女神木雕带回家，它们两个就从暗处跳出来，把客人绊倒。

"你们两个动作很敏捷，我当时能想到的办法只有让你们把客人绊倒。甘巴拉加树的木材虽然美丽，质地却很脆弱，摔到地上就会跟陶瓷一样碎掉。不过，幸好客人很干脆地放弃了女神木雕。"

"主人，那我们怎么处理这座木雕呢？"

"搬到店后面的空地，烧掉它。"十年屋斩钉截铁地说，"绝对不能送给都留女士或吉拉特先生，你们两个也不要靠得太近。现在我来……"

"你凭什么妨碍我！"

突如其来的怒吼声让十年屋和两只猫都吓了一跳。

不知什么时候，一个男子出现在他们身后。男子很年轻，相貌英俊，却一脸怨恨地瞪着十年屋。他愤恨的表情吓得蜂蜜瑟瑟发抖。

十年屋蹲下身，紧紧抱住客来喜和蜂蜜，把它们护在怀里。然后他又站了起来，平静地说：

"您就是阿敏吧？路奇·提罗先生的朋友。"

什么？客来喜和蜂蜜都瞪大了眼睛。这个人不是已经去世了吗？

两只猫开始发抖。

男子重重地点了点头。

"没错，我就是阿敏。但我可不是路奇的朋友，我是他的敌人！"

像是洪水开了闸，阿敏一开口就一发不可收拾，话语间全是对路奇的怨恨。

"我从小就比路奇厉害，不管是学习还是玩游戏，他从没有赢过我。他的反应很迟钝，我总是得照顾他。但是，升到初中后，突然之间，不管是学习还是运动，大家都说他更加优秀。他连个子都变得比我高了。为了超过他，我拼命努力，但他还是样样都比我好。后来，他还娶了一个特别美丽温柔的妻子。凭什么他什么都比我好！他要是能倒霉就好了，不然我不甘心！"

原来如此。十年屋点点头。

"您正是知道这座木雕有毒，所以才特意送给路奇先生的，对吧？"

"没错。我去南方的小岛旅行时，在黑市上买到了诅咒女神的雕像。我希望那个家伙天天头痛！可他好像一直没什么事。我还纳闷是怎么回事呢，原来他偷偷把木雕放到了魔法师的店里。他算什么朋友！真把我当朋友就应该取回我的遗物。"

"您根本没有资格说这种话……"

"你懂什么，我死去也是因为他！"

"哦？但我听说您是出车祸去世的……"

"那也要怪他！我为了超过他，为了变得比他有钱，就铤而走险做了一桩违法的生意。没想到我失败了，还被一群亡命之徒追杀。为了逃命，我开车狂奔，结果出了车祸。这全都是路奇的错。可恶！为什么他这么幸运？这不公平！"

"是吗？"十年屋耐心地劝说他，"有的人看似幸运，实际却很不幸。有的人看似轻易就能取得成功，实际上是因为他背后付出了比他人多几倍、几十倍的努力。这样的事情很常见。嫉妒他人是不对的。您与其嫉妒路奇先生，不如努力寻找您自己的幸福。"

"你想说努力就能获得幸福，努力就能实现自己的愿望吗？哈哈，这都是空想罢了。现实可要残酷得多，魔法师。"

"的确如您所说，并不是努力了就能实现所有的愿望。但是，能抓住幸福的人，一定很努力。"

但阿敏根本听不进十年屋的话，他继续咒骂路奇，甚至恨不得让路奇马上死去。

听到阿敏的诅咒，十年屋脸上的最后一丝笑意也消失了。

他冷漠地说道：

"您发泄怨恨的话，我也听烦了。我没有空，也不想再和不听劝的人继续聊天。请您离开。"

"你说什么？！"

怒气冲冲的阿敏朝十年屋扑了过来。

十年屋只是用怜悯的眼神最后看了他一眼，然后用正气凛然的语气喝道：

"散！"

再简短不过的一个字，却仿佛有雷霆万钧的力量。阿敏的身影瞬间消失了，像是被这个字驱散了。

两只猫都呆住了。十年屋转身，此时他脸上已经恢复了一贯的平静和温柔。

"已经没事了，那个人不会再来这里了。"

蜂蜜还在颤抖，牙齿咯咯作响。它问：

"他是幽灵吗？为什么会到这里来？"

"幽灵容易附在残留着他生前想法与执念的东西上。那座木雕里就存有他的恶意和执念，所以他才随着木雕来到了这里。很遗憾，世界上就是有这样满怀恶意的人。最好不要和这种人扯上关系。"

客来喜悲伤地低下了头。

"为了那样的坏蛋付出时间和真心，路奇先生太可怜了。"

"但路奇先生并不知道阿敏的真面目，他一直相信阿敏是自己珍贵的朋友。只要他心存美好就足够了。"

啪！像是为了转换心情，十年屋拍了拍手。

"我要去处理这座毒木雕了。你们两个去帮我泡一杯好喝的咖啡吧，麻烦多加点儿巧克力片和饼干碎。跟讨厌的人打交道后，只要吃点儿好吃的，我就可以忘记那些不愉快的事。"

"好的，我们知道了。"

"我们马上去准备。"

客来喜和蜂蜜急忙向厨房跑去。

6

十年后的约定

这天晚上八点，蜂蜜独自待在自己的房间里。

今天的学徒工作已经结束了，现在是自由活动时间。十年屋和客来喜都待在自己的房间里，大概在做各自喜欢的事情。

但是……

蜂蜜看向窗外。外面一片漆黑，淅淅沥沥地下着小雨。

蜂蜜害怕这样安静的雨夜，它会莫名觉得非常孤单。

最后，蜂蜜实在无法忍受下去了，便去找客来喜。

它敲了敲客来喜的门，门立刻开了。客来喜探出头：

"蜂蜜？你怎么了？"

"没什么，我只是不想独自待在房间里。我可以进去吗，师父？"

"当然可以，请进。"

蜂蜜走了进去。

客来喜的房间里有许多手工制作的抱枕套，墙上挂着拼布装饰，小小的书架上摆放的多是关于烹饪的书。它的蝴蝶领结和黑色马甲洗得干干净净的，挂在衣架上。

蜂蜜坐在小鱼形状的床上，客来喜给它端来马芬蛋糕当夜宵。

"先吃点儿蛋糕吧。我房间的东西，你喜欢什么就直接拿。我还有一些针线活儿要做，等我做完后，陪你做什么都可以哟。"

说完，客来喜在小小的椅子上坐下来，做起了针线活儿。

蜂蜜把身子探过来："师父，你在做什么呢？"

"我在给朋友做新衣服。"

"朋友？"

"是的。"

客来喜开心地抱起身旁一个黑猫造型的玩偶。

它头戴一顶红色的帽子，身穿紫色外套，脚上穿一双长靴。

"它叫皮皮猫，是店里的客人送给我的。它是我非常重要的朋友。我最近在给它做衣服，这次做的是睡衣和睡帽。"

"师父，你好厉害啊！"

"你要是想学针线活儿的话，我教你吧，我还会刺绣呢。"

蜂蜜点了点头。于是，客来喜从箱子里拿出许多布料和刺绣用的丝线，让蜂蜜选。

蜂蜜选了黑色的布料和闪闪发光的丝线，然后在客来喜对面坐了下来。客来喜一边教蜂蜜，一边仔细地缝制自己手上的衣物。然后，蜂蜜问了客来喜一个它一直很好奇的问题：

"师父、师父，你为什么会成为十年屋先生的管家呢？你是和我一样被米内小姐发现后送到这里的吗？"

客来喜吃了一惊，它那绿宝石色的眼睛一眨也不眨，仿佛忍耐着强烈的情感波动。

蜂蜜慌忙停下手上的动作，心想：我是不是不该问这个问题？

"抱……抱歉，师父不回答也没关系。"

"没事。只是因为你问得突然，我有些惊讶。其实，我最开始是客人的寄存物。"

"什么?!寄存物？你是被客人寄存在这里的吗？"

"是啊，那是很久很久以前的事情了。"

窗外的雨声让客来喜的声音听上去不太清晰。它缓缓讲述起自己的故事来。

十二岁的男孩小空讨厌夏天。夏天很炎热，又有很多蚊子，还有漫长的暑假。

一想到暑假马上就要到来，他心里就很烦躁。

曾几何时，小空也和其他孩子一样，期盼着暑假早一点儿到来，晚一点儿结束。

但是，自从新爸爸来到家里，小空的想法就变了。

小空的新爸爸——奇佐叔叔是一名木匠，虽然沉默寡言，却很温柔。

奇佐叔叔很爱小空的妈妈。在这一点上，小空很感激他。

可是，小空无论如何都叫不出"爸爸"两个字。小空不讨厌奇佐叔叔，但他还是没办法把奇佐叔叔当成自己真正的家人。

奇佐叔叔也不知道该如何跟小空相处。一起生活两年后，两人碰面时仍然有些尴尬。

所以，小空只要待在家里就会觉得不舒服，不能完全放松。

等暑假来了，我就得从早到晚待在家里了。一想到这里，小空就开心不起来。

他发自内心地想要快点儿长大，这样他就可以独立生活了。

就在小空无精打采地走在回家的路上时，他听到了猫叫声。

叫声细细弱弱的，应该是一只幼小的猫。

附近有小猫吗？小空一下子激动起来。他喜欢小动物，尤其喜欢猫。猫的眼睛闪闪发光，身体柔软，还有一种神秘的气质，而小猫尤其可爱。

他很想看一眼那只小猫。

于是，他循着声音，沿着小路走进了草丛。

拨开茂盛的草丛，小空惊讶地发现这里有一个大纸箱。

他急忙向纸箱里看去，里面竟然真的有一只小猫。

这只小猫只有小孩子的两个拳头那么大，身形消瘦，橘黄色的毛乱蓬蓬、脏兮兮的。小猫的眼睛上沾满了眼屎，尾巴也好像从中间折断了。

这只惨兮兮的小猫与"可爱"一点儿关系都没有。然而看到它的第一眼，小空就感觉时间好像静止了一般。

我终于遇见你了！这句话在他心中回荡。

这只小猫不仅非常虚弱，连叫声也越来越微弱。小空觉得它大概是饿得太久了。

回家里拿些食物来？不，也许它在我回来之前就会死掉。可我没钱带小猫去看兽医……算了，还是先带它回家吧。

小空小心翼翼地抱起箱子，匆匆忙忙地向家里跑去。他一边尽量保持箱子平稳，一边飞速思考着之后该拿小猫怎么办。

要是被妈妈发现了，她大概会凶我说："为什么要把野猫带回家？快放回去！"所以，最重要的是不能被发现。我要偷偷把小猫养在自己的房间里。

然而，事与愿违。就在小空悄悄从后门进来的时候，他正好撞上了妈妈。

"小空，你回来了。哎，这个箱子里面是什么？"

"没……没什么。是……是学校发的资料，我把整理完的资料拿回家。"

小空撒了谎。他只想赶紧从妈妈身边离开。但是，在他溜走之前，妈妈就看到了箱子里的小猫。

妈妈惊呼了一声，表情变得很可怕。

"小空！"

"妈妈，对不起！但是它快死了，我不能看着不管。妈妈，求你了！我会好好照顾它的，所以求你……"

"不行。"

111

妈妈打断了小空的话。

"把它放回原来的地方吧。我说过很多次了，咱们家不能养猫。"

"为什么？不用你们照顾它！我以后绝对不任性，也不会闹着要什么东西，以后不给我零花钱都行！妈妈，求你了！让我养它吧！"

但是，妈妈仍然没有点头。

"不是这些原因……奇佐叔叔对猫毛过敏，所以我们不能养猫。"妈妈柔声安慰愣住的小空，"快把它放回原来的地方吧。没事，别人会收养它的。"

"不要！它是我的！它是我的小猫！"

"你怎么不听劝呢？不行就是不行。"

"那让叔叔搬出去不就行了吗？他又不是我爸爸，不是我的家人，该出去的是他！"

只听啪的一声，妈妈给了小空一个清脆的耳光。

打完小空，妈妈也愣住了。

"小空……对不起！"

小空委屈到了极点。他顾不上听妈妈道歉，大喊一句"我受够了"就从后门跑了出去。

我讨厌这样的妈妈，讨厌对猫毛过敏的叔叔，更讨厌这个家。我真的不想回来了。以后，我就和小猫一起过！

小空心里满是伤心与不甘，他一边掉眼泪，一边奔跑。

他跑啊跑，一直跑到一个小小的公园才停下脚步。公园里没有人，在这里应该能平复一下心情。

"没事的，我不会扔掉你的，绝对不会。"

小空把手伸进箱子里，温柔地抚摸着小猫。

小猫身上皮包骨头，几乎没有肉。他想起了阿姨家胖乎乎的猫，那只猫身体软绵绵的，手感和这只小猫完全不同。

小空知道，小猫的情况很糟糕。

现在它也不叫唤了。仔细想想，从刚才开始它就一直很安静，是睡着了吗？难道是死掉了？

小空轻轻地把小猫从箱子里抱出来查看。

这只小猫真的很小，抱起来也很轻。它没有一点儿力气，脑袋和四肢都垂了下来。

小空的眼泪又流了下来。

谁来帮帮小猫啊！只要能让小猫活下来，我什么都愿意做！

小空在内心深处无助地呼喊。就在这时，不知从哪里突然飞来一张对折的深棕色卡片，上面用银色的墨水写着"十年屋"三个字。

虽然现在其他事情都没有小猫重要，但小空还是不由自主地拿起了卡片。他没来由地相信，这张卡片能帮助自己。

小空打开了对折的卡片，柔和的金色光芒一下子溢了出来，温柔地包裹住他和小猫。

等回过神来，小空发现自己来到了一条陌生的街道上。他赶忙低头，发现小猫还在自己的怀里，这才松了口气，打量起四周。

这是一条奇异的街道，道路两边矗立着各种石头建筑，在浓重的雾气中若隐若现。这里看不到人影，一片寂静。

小空害怕得颤抖起来。

这时，从正前方的建筑物里走出一名拿着扫帚和簸箕的年轻男子。

男子穿着深棕色的马甲和长裤，马甲里面是熨得很平整的白色衬衫。他戴着银框眼镜，脖子上围着时尚的天蓝色围巾。

男子向小空的方向看了过来，脸上露出欣喜的笑容。

"啊，有客人光临。"

对着男子温和的琥珀色眼睛，小空忍不住哭喊道："我的小猫要死了！帮帮我们吧！"

之后，小空滔滔不绝地说了好多事情：他把小猫捡回家却不能养；妈妈给了他一个耳光……好像连自己对奇佐叔叔的不满也讲了出来。

听小空讲完后，男子点了点头。

"原来如此，我明白了。您确实是本店的客人。您要不要把小猫寄存在本店呢？"

"啊？哥哥，你要帮我养吗？"

"不……不是，只是帮您保管而已。"

男子笑了起来。

"比如您喜欢的旧玩具和绘本，虽然以后用不到了，但因为其中充满了回忆，所以您舍不得丢掉，可是家里又放不下。这种情况下，您就可以把东西寄存到本店。"

也就是说，小空可以把小猫寄存到这家店里。

"您可以寄存十年。十年后，您早就成年了，能独立生活了。到那个时候，您可以搬到一间允许养猫的公寓里，再把小猫接回去。只不过，本店不能无偿帮人保管东西。"

"我……我没有带钱。"

男子的眼睛里有金光一闪而过。

"您需要支付的是时间。"

"时间？"

"是的，一年的时间。"

小空想破头也想不出该如何支付时间。

但是，男子的目光让他不再怀疑。

男子的眼睛中闪烁的奇异光芒让小空突然意识

到，他不是普通人，一定是传说中的魔法师。这家店是魔法师的商店。

男子温柔地说道：

"把这只小猫寄存在本店，它立刻就能变得健健康康、活蹦乱跳，我也会按照约定帮您照顾它。您愿意吗？您也可以拒绝，没关系的。"

男子说完，后退一步。

小空又焦躁起来。

他感觉，如果自己拒绝，魔法师便会立刻消失。这样的话，小猫就没救了。

小空真的非常想救小猫，便点了点头。

"我明白了。请你帮我照顾它。"

"那么，我们来签订契约吧。"

男子从怀中拿出一本黑色皮面的笔记本和一支银色的钢笔。

"首先是签订契约的时间，七月七日……嗯，写好了。然后是寄存物品的种类——猫。接着是寄存物的名字……啊，可以告诉我小猫的名字吗？"

"名字？我还没想过。"

小空注视着怀里的小猫。它虽然现在瘦骨嶙峋，还脏兮兮的，但如果能得到很好的照顾，一定会成为一只漂亮的橘黄色大猫。它的毛黄黄的，让小空想起了一种辛辣的香料——黄芥末籽的颜色。

"'客来喜[1]'，就叫它客来喜吧。"

"真是个好名字……好，寄存物的名字，'客来喜'。"

在笔记本上唰唰写完之后，男子将笔记本和笔一起递给了小空。

"请在这里签名。"

"好。"

银色钢笔沉甸甸的，小空握住笔，心跳得飞快。写下自己的名字时，他感觉体内似乎有什么东西随着墨水一起流走了。

是时间，生命中一年的时间离开了自己，被吸进了本子里。

小空有些紧张，但还是坚持写完了自己的名字。

1　日语中，"黄芥末籽"的发音同"客来喜"一样。——译者注

"好，这样就可以了。"

小空死死地盯着利落地收好笔记本和钢笔的男子。

"大哥哥，你真的是魔法师吧？"

"啊，真是太失礼了，我应该先自报家门的。喀喀，我是时间魔法师，周围的人都叫我十年屋。现在请把它交给我吧。"

小空的心跳得很快，他把奄奄一息的客来喜递给了十年屋。

十年屋低声念了些什么，又温柔地抚摸了一下客来喜。

客来喜一下子睁开了眼睛。

不仅如此，它瘦弱不堪的身体慢慢膨胀起来，脏兮兮的毛发也在眨眼间变得整洁光亮。

仅仅一瞬间，客来喜居然就变成了一只健康的橘黄色小猫。

看着瞠目结舌的小空，十年屋笑了起来。

"我使用了一些急救手段。总之，在您返回本店之前，我会好好照顾它的。对了，这是我的名片。"

男子递过来一张名片。

这张名片也是深棕色的，上面写着"十年屋"三个银色的字，背面则一片空白。

"十年后的今天，名片的背面会显示出本店的地址和地图。我们到时候再见。"

十年屋转过身，这次他真的要离开了。

小空反应过来，冲十年屋的背影大喊：

"我一定会来接它的！我一定会来的！"

十年屋没有停下脚步，也没有回头。

但是，小空感觉自己听到了回答："那就说好了，我们会等你的。"

十年屋消失在雾气中。接着，周围的景色扭曲起来，雾气弥漫的街道渐渐隐去，一片绿色开始出现。

小空眨了眨眼，发现自己回到了之前所在的小公园。他怀里的小猫不见了，手中却多了一张深棕色的名片。

原来那不是梦。小空发出一声轻轻的叹息。

因为刚刚的神奇经历，现在他心头的悲伤都消失了，他只剩下一个想法：我要加油，快点儿长大，把客来喜接回来！

怀着这样的心情，小空开始往家的方向走去。他正好碰上出门寻找他的妈妈。

见小空平安回来，妈妈这才松了一口气。小空没有继续跟妈妈生气，只是想着自己要快点儿长大。

从那天开始，小空加倍努力。他不仅努力学习，还跟着妈妈学习做饭和打扫，以便独自生活的时候能照顾好自己。

人一旦有了想要实现的愿望，做曾经讨厌的事情时就一点儿也不痛苦了。这真是不可思议。

一年后，小空的妹妹出生了，家里的氛围变得更加幸福和欢乐。

但是，小空仍然没有忘记客来喜。

还有八年十个月二十九天。

还有八年十个月二十八天。

…………

每天睡觉前，小空都会数一数距离约定的日子还有多少天。

就这样，十年很快过去了。

二十二岁的小空顺利从大学毕业，进入一家建筑公司工作。同时，他也终于从家里搬了出来，开始独立生活。

他选择了一间小公寓作为自己的新家。公寓在公司附近，离商场也很近，最重要的是，这里可以养宠物。尽管租金有点儿高，小空还是毫不犹豫地选择了它。

收拾好行李，把房间打扫干净后，他缓缓拿出了那张深棕色的名片。

果然，上面出现了用银色墨水写好的地址，还画了地图。

"黄昏横町二丁目……"

他从没听过这个地名，只能照着地图寻找了。

小空飞奔出去，外面正哗啦啦下着大雨。

十年屋位于雾气弥漫的黄昏横町二丁目五号。这里不知该说是古董店还是仓库，里面所有的东西都放得乱七八糟的：有脏衣服和旧鞋子，也有满箱的金银首饰；堆成小山的破旧玩偶旁边，放着很贵重的古董家具和茶壶……

这些五花八门的物品还有一个共同点：都像蒙着面纱，周身萦绕着一种特别的气息。

珍爱的，重要的，不想失去的……

承载着不同感情的物品，安静地沉睡着。

某年的七月七日，十年屋听着窗外的雨声，拂去架子上的灰尘。

"丁零零！"门铃轻快地响了起来。有人进店了。

十年屋看向门口，那里站着一名年轻的男子。大概是因为没有撑伞，他浑身都湿透了，雨珠顺着他的头发滴落下来。

十年屋笑了。

"啊，好久不见，欢迎光临……您长大了，空·斯塔露先生。"

"十年屋先生倒是一点儿都没有变。"

"呵呵，因为工作的性质，我的外表几乎不会变化。

您这次来，是接那只小猫的吗？"

"是的，我按照约定的时间来了。"

"好。我现在就带它过来。"

十年屋的身影消失在店铺深处，等他回来时，他怀里多了一只小猫。

小猫只有小孩子的两个拳头那么大，有着柔软的橘黄色的毛和美丽的绿宝石色的眼睛。

"客……客来喜？"

"您很惊讶吗？"

十年屋笑道：

"十年屋内的时间是静止的。要保管客人珍视的东西，自然不能让它们受到任何损伤，哪怕是时间上的。这是如假包换的、您交给我的客来喜。"

说着，十年屋把客来喜放到了地板上。

小空激动地俯身，朝客来喜伸出手：

"客来喜，我来接你了！"

客来喜开心地叫了一声，朝他跑了过去。

小空紧紧地抱住了小猫。它虽然很轻，身体却温暖而结实。

他儿时的愿望终于实现了。

抚摸着客来喜，小空的心里满是幸福。

"我租了一间公寓，可以和你一起住。我们一起回新家去吧，客来喜，我给你买了好多好吃的猫粮和好玩的玩具。我们一起幸福地生活下去吧！"

"喵！"

"走，我带你回家。"

小空满脸笑容。

可是，就在他抱住客来喜，准备站起来的时候，他的身体像雾气一样消散了。

咚的一声，客来喜掉在了地上。

十年屋用落寞的语气对它说：

"客来喜，他……他大概是在来的路上出事了，但他似乎没有察觉到。他很不幸，我为他感到惋惜……"

小猫低下头，一声不吭。

十年屋温柔地抱住它小小的身体。

"你是一只幸福的猫。你瞧，他不是按照约定来接你回家了吗？他即使变成了魂魄，也要来接你回家，这样的人世上可不多。他是如此深沉地爱着你，所以，请你不要消沉。他让你有了更多的时间，以后，你要好好利用他送给你的时间。"

十年屋注视着客来喜悲伤的绿眼睛。

"如果你愿意的话，我想雇用你做我店里的管家，包吃包住，还发工资。你愿意吗？"

"喵。"

"那就这样说定了，来签个名吧。对了，你是猫，按个爪印就行。"

十年屋说着，取出了笔记本。

"就这样，我成了主人的管家猫……我的故事到这里就结束了。"

客来喜说完后便陷入了沉默。蜂蜜不知道该说些什么。

客来喜没有哭，但它话语里不只有怀念、爱意，还有悲伤。这些感情交织在一起，像泪水一样从它的话中涌出来。

终于，蜂蜜开口问道：

"你很想小空吗？"

"当然了。虽然我的主人是十年屋，但是我永远都不会忘记小空。他救了我，直到生命的尽头都没有忘记我……而且，因为他是在来这里的路上出事的，所以主人修改了让客人回到十年屋的魔法。"

在此之前，客人返回十年屋的方法是根据名片的指引自行来到店里。小空出事之后，回到十年屋的方式变成：当客人心里强烈地想要取回东西时，十年屋便会寄给客人魔法卡片，让客人通过卡片直接回到店里。显然，小空的经历也刺痛了十年屋。

"总之，无论过去多少年，这都是我无法忘怀的记忆。"

"师父……"

"我没事。我现在过得很幸福。等找到主人后，你就能体会到这种心情了。"

客来喜继续说道："不过也用不了多久了。主人已经拜托了滔滔先生通知大家，让有意向的魔法师在下个星期日到街上的集会所与你见面。到时候，你就从他们之中挑选自己的主人吧。"

"我能找到主人吗？"

"一定能的。好了，我们继续做针线活儿吧。"

客来喜温柔地催促蜂蜜。蜂蜜拿起针线，可脑海中满是下个星期日的事情。

它真的能在集会所找到主人吗？

7

被选择的魔法师

星期日。

魔法街前所未有地热闹。平时的魔法街太过寂静，而今天，整条街上的魔法师都出来了。

大家都很兴奋，频繁地看时间，迫不及待地等着集会所开门。

今天，一直在十年屋做学徒的小猫就要选择主人了。究竟谁会被这只可爱的小猫选中呢？

不只候选人，不参与竞选的观众也对此很好奇。

色彩屋的阿靛快步朝集会所走去，他肩上还趴着帕雷特。忽然，他被人叫住了。

"呀，这不是阿靛吗？"

叫住阿靛的是一位头戴草帽、身穿蓝色工作服的老人。他身材高大，一张脸庞活力十足。他的长胡子上挂着许多钥匙，腰带上则挂着很多锁。

原来是封印屋的老波先生。

阿靛害羞地小声冲他打招呼：

"您好，老波先生……"

"你好。你也要去集会所吗？你也是蜂蜜主人竞选的候选人？"

"我不是，我已经有帕雷特了……"

阿靛摇了摇头，帕雷特也叫了起来：

"没错没错，阿靛已经有我了，怎么可能要第二名魔法使！"

"失敬失敬，确实如你所说。"

"老波先生呢？您也报名了吗？"

"没有，我还有……其他挂念的事情，这次就不参加了。"

"原来如此。"

帕雷特露出一个揶揄的笑。

"老波先生忙着追都留婆婆，每天都在考虑约会计划和如何准备礼物，根本没心思找魔法使吧。"

"不是……不是这个原因。你们俩就不要笑我了吧？"

"抱歉……"

"老波先生就算了，都留婆婆呢？她一定想要一只像蜂蜜这么可爱的小猫吧？"帕雷特说。

老波先生点了点头。

"对，都留是候选人。她劲头十足，说一定要把那只小猫接回家。"

"果然。老波先生，这样您不介意吗？"

帕雷特抬头看着老波先生，意有所指地说："都留婆婆吧，是那种一段时间只会专注一件事情的人。她要是只想着和蜂蜜玩，不理你了怎么办？"

"那就太糟糕了。我该怎么办啊？"

"你问我们，我们也不知道啊，只能祈祷蜂蜜不要选都留婆婆了吧？"

"嗯……可是这样显得我心胸很狭窄啊。不过，我们先去集会所看看情况吧。"

"嗯……"

于是，阿靛、帕雷特和老波先生一起朝集会所走去。

集会所前，天气屋的比比看到一个熟悉的身影，惊喜地叫了起来：

"米内，好久不见！"

看到飞奔而来的比比，米内露出了微笑。

"哎呀，这不是比比吗？你好，真的好久不见了！我经常听人说起你，能亲眼看到你这么精神，真是太好了！"

"嗯，在下过得很快乐哟。在下还交到了茶友呢！"

"啊，真好。好不容易交到的朋友，你要好好珍惜。"

"那当然了。对了，米内，你什么时候回的魔法街？你怎么也不提前告诉在下，在下好准备茶呀。"

比比这么亲近米内是有原因的。

正是米内发现了她体内沉睡的魔力。

也多亏了米内，比比才知道自己拥有控制天气的能力，还在街上开了店。可以说，米内是比比的伯乐。

比比热情地和米内聊起天来：

"米内，一会儿有时间吗？你一定要来在下的帐篷，在下想让你看看在下培育的天气，还想和你聊聊在下的工作。在下想和你说好多好多话。"

"抱歉，我马上又要走了。我太忙了，连这次来参加集会的时间都是勉强挤出来的。我的工作估计会受到一些影响。但我不后悔，如果能让蜂蜜成为我的搭档，那就值得。"

"啊？"比比瞪大了眼睛。

"难道说……你也是蜂蜜主人竞选的候选人？"

"是啊，带着可爱的猫咪到处旅行多好呀。而且，第一个找到蜂蜜的人就是我，我原本想亲自把它培养成我的魔法使，但我实在没时间，只能先把它送到十年屋那里。总之，为了让蜂蜜选择我，我会使出全力的。比比，怎么了？你怎么这种表情？"

难道说……米内露出惊讶的表情。

"难不成你也是候选人？"

"当然。"

比比斩钉截铁地说："但是，即使对手是你，在下也不会轻易放弃。在下要让蜂蜜成为我的搭档！"

"哦？这可不行。"都留插入比比和米内的对话，"我一定会让蜂蜜选择我。改造屋要是有那么可爱的小猫坐镇，我的改造灵感一定会源源不断地涌现出来。"

噼里啪啦！三人之间火花四溅。

终于，集会所的门开了，魔法师们鱼贯而入。

集会所中央有个小台子，上面放着一张如王座般豪华的椅子，盛装的蜂蜜害羞地坐在椅子上，十年屋和客来喜像守护公主的骑士一般站在它的两侧。

魔法师们都入场后，十年屋大声说：

"感谢大家参加本次集会。想必大家已经知道了，蜂蜜正在寻找主人。想要成为蜂蜜主人的魔法师请到前面来，挨个儿到蜂蜜面前介绍自己，说说自己的设想。比如，蜂蜜如果选了您当主人，将来会过什么样的生活？请把相关的一切都告诉蜂蜜，让蜂蜜自行选择。现在我宣布，此次选主大会正式开始！"

二十多位魔法师立刻站了出来。站在最前面的，便是改造屋的都留婆婆。

她语速飞快地对蜂蜜说：

"我的魔法能把不需要的东西改造成很棒的东西呢。你也去过我店里，看到了我改造的东西，那些东西多令人开心呀。如果你到我这里来的话，我就能做出更加闪耀的东西。看到你的第一眼，我就有这样的感觉。所以，你一定要来我这里。我会给你做可爱的衣服、适合你的茶杯，还有可爱的布娃娃和各种玩具……请选择我吧。"

都留后面是天气屋的比比，她拿出自己闪闪发光的珠子项链给蜂蜜看。

"这条项链的每一颗珠子里面都放着不同的天气。为了收集天气，在下朝星空探出手，追赶风儿，收集太阳和月亮的歌。每一次旅行都是令人激动的冒险。在下将微风化为旋风，将沙沙小雨变为瓢泼大雨，将从树叶间隙漏下的点点阳光培育为盛夏的骄阳，就像做实验一样，很有趣哟！所以，选在下吧，在下保证会让你的每一天都充满惊喜。"

第三位选手是搜索魔法师米内。

米内青草色的眼睛里满是温柔。只听她缓缓地对蜂蜜说：

"就如当初找到你一样，我的工作是寻找，换句话说，就是寻宝。为了找到隐藏的东西、出人意料的东西，我在全世界奔走。我想与你分享发现宝物时的喜悦，我们可以去世界上的任何地方。这样自由的生活很棒吧？"

后面的魔法师们也一个接一个到蜂蜜面前，讲解自己魔法的优势，热情地向它抛出橄榄枝。蜂蜜越听越迷茫，因为每一位魔法师都有自己的魅力，都让它心潮澎湃。

无论选择他们之中的哪一位做主人，它都一定会很幸福。但是要做出决定，似乎还缺少什么关键性的因素。蜂蜜觉得有什么东西在阻止自己做出选择。

蜂蜜坐在椅子上一动不动。十年屋温柔地对它耳语道：

"怎么样，蜂蜜？找到想要一起生活的人了吗？"

"呃……那个……"

"没有的话，也不用勉强。我们先宣布结束，让大家回去等消息。"

真的很抱歉。蜂蜜心里这样想着，眼睛里浮现出泪光。

就在这时……

砰!

集会所的大门像是被强风吹开了一样打开了，一名男子冲了进来。

蜂蜜屏住呼吸，它从没见过那样的魔法师。

他身形高大，皮肤黝黑，头发闪耀着银色的光芒。他的表情像狮子一样不怒自威，充满了震慑力。

不过，大概是因为匆忙赶来，他的呼吸很急促，身上也出了很多汗，缀着金色扣子的古铜色西装上沾满了灰尘。

不仅是蜂蜜，其他魔法师也吓了一跳，纷纷瞪大了眼睛。

感受到大家的视线，男子调整呼吸，开口道：

"失……失礼了。我太着急了，什么礼数都忘记了。我用尽了所有的宝物和技能才赶到这里。因为我离得太远，滔滔先生的鸟儿到我那里时……"

男子一边解释，一边用视线在屋里寻找着什么。注意到台上的蜂蜜后，他脸上严肃的表情突然柔和了下来，只见他立刻挺直脊背，大步流星地朝蜂蜜走去。

他走到蜂蜜面前，单膝跪地，轻轻从怀中取出一架银色的天平。他将这架极为精致的天平展示给蜂蜜，缓缓开口道：

"可爱的猫咪小姐，我是银行屋的吉拉特。这架天平便是我的魔法，它能衡量所有物品的价值。但是，即使不使用它，我也能明白你的价值——你是无价的，世界上埋藏的所有金币加起来都不及你半分。从看到你的第一眼起，我就是这样想的。如你所见，我是一个严肃无趣的人，和我一起生活，你也许不会笑口常开。但我发誓，我会全心全意地珍惜你。因此，我从心底许愿，希望你能到我这里来。"

蜂蜜屏住呼吸，看向吉拉特。

它的心脏突然跳得飞快，几乎要从嗓子眼里飞出来了！

其实，和吉拉特四目相对的瞬间，它的心里就像有一千只铃铛同时响起。吉拉特和它说了那些话以后，它的心中更是涌上一种至今为止在其他魔法师身上不曾感受过的感觉。

啊，我想留在这个人身边，不是让他给我幸福，而是尽我自己的全力给他幸福。

虽然想要回答对方，可它迟迟说不出话来。

所以，蜂蜜默默地拿出一条小小的手帕——是那天晚上客来喜教它缝制的。黑色的手帕上绣着金色、银色和铜色的花朵。

黑、金、银、铜，无论哪种颜色都很适合吉拉特。

尽管见到吉拉特的第一眼，蜂蜜就决定选择他作为自己的主人，但是向他递出手帕时，它仍旧有些不安。

吉拉特迷茫地看看手帕，又看看蜂蜜。

"这是？"

"这是我做的第一幅刺绣。我当时想，如果找到主人的话，就给他看。"

"你的意思是……你选择了我吗？"吉拉特的眼睛绽放出光彩。

"是的。"蜂蜜直直地看着吉拉特，重重地点了点头，"请多多关照，主人。"

说着，蜂蜜轻轻提起连衣裙，向吉拉特行了一个礼。

尾声

看到蜂蜜选择了银行屋的吉拉特，其他魔法师都叹了口气。特别是候选魔法师，一个个都垂头丧气的。

然而，大家尽管很失望，却没有人在心里怨恨蜂蜜或吉拉特。

"太好了！"

吉拉特太激动了！他抱起蜂蜜转了几个圈，跳起舞来，开心得像个孩子。看到他的样子，候选魔法师心里的不甘也消失了，纷纷微笑着向他表示了祝贺。

甚至连改造屋的都留也丝毫没有抱怨，她只是默默地向集会所的大门走去。

封印屋的老波先生急忙跟了上去。

"都留，真遗憾。"

"嗯，是很遗憾，不过我觉得这也很好。让我震惊的是，那个银行屋的吉拉特居然会说出那么热情的话，简直就像求婚一样。听到他的那些话，连我都要脸红了。"

"嗯……我能说出比那更浪漫的求婚词。"老波先生小声嘟囔。

"抱歉，我没有听清，你刚刚说了什么吗？"

"没什么，我只是说我想给吉拉特送份礼物，表示祝贺。"

看着满脸通红，准备支支吾吾糊弄过去的老波先生，从旁边经过的比比低声对他说：

"老波先生，加油啊！"

就这样，吉拉特拥有了一名可爱的魔法使。

喜欢蜂蜜的吉拉特和想要照顾吉拉特的蜂蜜成为主仆之后，会过上什么样的生活呢？有机会的话，我们再来讲讲他们的故事吧。

"JUNENYA 6: MINARAI NO OJIKAN DESU"

Written by Reiko Hiroshima, illustrated by Miho Satake

Text copyright © 2022 Reiko Hiroshima

Illustrations copyright © 2022 Miho Satake

All rights reserved.

First published in Japan by Say-zan-sha Publications, Ltd., Tokyo

This Simplified Chinese edition published by arrangement with

Say-zan-sha Publications, Ltd., Tokyo in care of Tuttle-Mori Agency, Inc., Tokyo,

through Pace Agency Ltd., Jiang Su Province.

Simplified Chinese translation copyright © 2024 by Beijing Science and Technology

Publishing Co., Ltd.

著作权合同登记号　图字：01-2024-0374

图书在版编目（CIP）数据

十年屋：魔法街的猫学徒 / （日）广岛玲子著；
（日）佐竹美保绘；尚思婕译 . -- 北京：北京科学技术
出版社，2024（2025 重印）. --（十年屋与魔法街的朋友
们）. -- ISBN 978-7-5714-4068-8

Ⅰ . I313.85

中国国家版本馆 CIP 数据核字第 2024561Q3R 号

策划编辑：梁　琳　张心然
责任编辑：刘　洋
责任校对：贾　荣
封面设计：包荧莹
图文制作：天露霖文化
责任印制：吕　越
出 版 人：曾庆宇
出版发行：北京科学技术出版社
社　　址：北京西直门南大街 16 号
邮政编码：100035
电　　话：0086-10-66135495（总编室）　　0086-10-66113227（发行部）
网　　址：www.bkydw.cn
印　　刷：保定市中画美凯印刷有限公司
开　　本：889 mm × 1194 mm　1/32
字　　数：72 千字
印　　张：4.875
版　　次：2024 年 9 月第 1 版
印　　次：2025 年 5 月第 2 次印刷
ISBN 978-7-5714-4068-8

定　　价：35.00 元